Openbare Biblio
Mercatorpl
1057 CA Am
Tel.: 020 - 61
-- JUN
D0119961

Wegwijzer hypotheekvoorwaarden

vereniging | eigen huis

Vereniging Eigen Huis houdt u scherp!

Vereniging Eigen Huis is dé consumentenorganisatie voor (toekomstige) eigenwoningbezitters. De vereniging telt nu ruim 690.000 leden. Jaarlijks geven we tienduizenden adviezen aan leden die overwegen een huis te kopen of te (ver)bouwen. De adviezen liggen vooral op het financiële, bouwtechnische en juridische terrein. Daarnaast biedt Vereniging Eigen Huis op deze gebieden tal van diensten.
Lid worden: *www.eigenhuis.nl*

Recente informatie

Wetten, tarieven en cijfers wijzigen regelmatig.
Op *www.eigenhuis.nl/aanvullingen* kunt u terecht voor de meest recente informatie.

Amersfoort, eerste druk, februari 2009
ISBN: 978 90 5241 179 8

Redactie: Karin Boog en Cindy van den Broek
Vormgeving: RAM Vormgeving, Asperen
Foto's: Peter Beemsterboer (Studio Imago), Amersfoort
Druk: Drukkerij Wilco, Amersfoort

Stappenplan: Een hypotheek afsluiten

In dit stappenplan staat hoe het kiezen en afsluiten van een hypotheek in zijn werk gaat. Iedere stap in het schema verwijst naar het bijbehorende hoofdstuk. U ziet zo precies waar u bent in het proces. Veel succes met het maken van de juiste keuze.

Stap 1: Maximale hypotheek

Voordat u een bod doet op een huis, wilt u weten wat u kunt lenen en wat uw netto woonlasten worden. De hypotheekvorm, de rente en de renteteruggave bepalen de netto maandlast. Als u eigen geld inbrengt, worden de woonlasten lager. Op basis van de maximale woonlast en de hypotheekvorm kunt u door een hypotheekadviseur of op internet laten berekenen wat uw maximale hypotheek is (*www.eigenhuis.nl/hypotheekservice*). In deze fase houdt u zich bezig met:

- Uw maximale woonlast: §1.1, §1.7
- Andere financiële verplichtingen: §1.2, §1.7
- Toekomstverwachtingen: §1.1
- Globale keuze hypotheken: hoofdstuk 2
- Globaal idee van de hypotheekrente: hoofdstuk 3
- Bepalen van de maximale koopsom: §1.3, §1.6
- Nationale Hypotheekgarantie: §1.8
- Subsidiemogelijkheden: §1.4
- Ontbindende voorwaarden koopovereenkomst: §1.9

Stap 2: Keuze hypotheekvorm

Wilt u wel of niet aflossen? Wilt u beleggingsrisico lopen? Een kleinere rol bij het bepalen van uw keuze spelen flexibiliteit, fiscale regels en de inflatie. U kunt ook meerdere hypotheekvormen combineren. In deze fase houdt u zich bezig met:

- Aflossen of niet: §2.1
- Beleggen of niet: §2.3
- Een of meer hypotheekvormen?: §2.7
- Inflatie: §2.6
- Fiscale overwegingen: §2.4

Stap 3: Selectie op prijs

De rentestand, de rentevaste periode, de afsluitprovisie en eventueel de premie voor een levensverzekering beïnvloeden de prijs van een hypotheek. Beslis daarom eerst over de rentevaste periode en de verzekerde bedragen en personen, voordat u adviseurs om voorbeeldberekeningen vraagt. Informeer ook naar de provisie van de verschillende adviseurs. In deze fase houdt u zich bezig met:

- Rentestand: §3.1
- Rentevaste periode: §3.2
- Looptijd: §3.5
- Verzekerde personen en bedragen: §3.4

Stap 4: Selectie op voorwaarden

Minstens zo belangrijk als de prijs van een hypotheek zijn de hypotheekvoorwaarden. Een hypotheek sluit u af voor een lange tijd waarin veel kan gebeuren. Denk bijvoorbeeld aan een verhuizing. Kunt u dan uw hypotheek meeverhuizen? Of u wilt uw badkamer vervangen. Kunt u dan extra geld opnemen via de hypotheek? In deze fase houdt u zich bezig met:

- Verhuisvoorwaarden: §4.4
- Extra geld opnemen: §4.2
- Vervroegd aflossen: §4.3

Stap 5: Hypotheekofferte

Het is belangrijk dat u voor het vergelijken van berekeningen steeds dezelfde uitgangspunten hanteert. Aan de hand van deze berekeningen en de hypotheekvoorwaarden kunt u bepalen waar u de offerte aan gaat vragen. Daarnaast moet u de geldigheidsduur van de offerte in de gaten houden. Is de offerte beperkt geldig? Dan kan het zijn dat u moet betalen voor verlenging. In deze fase houdt u zich bezig met:

- Geldigheidsduur offerte: §5.2
- Dal-, dag- of offerterente: §5.2
- Verlengingsmogelijkheden: §5.2
- Annuleringskosten: §5.3
- Afsluitprovisie: §3.6
- Bestuderen van algemene voorwaarden geldlening: §5.4
- Bestuderen financiële bijsluiter: §5.4
- Tekenen van de offerte: §5.2

Stap 6: Van offerte naar notaris

Tussen het tekenen van de hypotheekofferte en het tekenen van de hypotheekakte moet vaak nog een aantal zaken worden geregeld en gecontroleerd. De belangrijkste zaken zijn de medische keuring voor een levensverzekering, een eventuele taxatie en het aanleveren van de benodigde papieren. In deze fase houdt u zich bezig met:

- Aanvraag levensverzekering: §6.2
- Gezondheidsverklaring: §6.2
- Medische keuring: §6.2
- Taxatie: §6.5
- Voorlopige overlijdensrisicoverzekering: §6.3
- Bankgarantie of waarborgsom: §6.4
- Opstalverzekering: §6.6
- Controle concept hypotheekakte: §6.9
- Controle afrekening notaris: §6.9

Inhoudsopgave

1 Maximale hypotheek

De eerste stap bij het kopen van een huis is bepalen welk hypotheekbedrag past bij uw inkomsten- en uitgavenpatroon. U bepaalt het hypotheekbedrag dat u maximaal kunt of wilt lenen om te weten te komen hoe duur uw huis mag zijn.

Het hypotheekbedrag dat u maximaal kunt lenen, hangt af van:
- *uw inkomen;*
- *uw uitgaven;*
- *de waarde van het huis dat u op het oog hebt;*
- *de rentestand;*
- *wat u zelf maximaal kwijt wilt zijn aan woonlasten.*

De maximale hypotheek en uw eigen vermogen bepalen welk bedrag u beschikbaar hebt voor de aanschaf van een huis. De koopsom van de woning ligt lager, omdat u naast de koopsom ook kosten moet maken om eigenaar van het huis te worden.

1 Inkomsten

De maximale hypotheek kunt u het beste alleen baseren op vaste inkomensbestanddelen. Dit is bijvoorbeeld het inkomen uit uw vaste baan. U gaat dan uit van uw bruto jaarinkomen inclusief vakantiegeld. Een hypotheekadviseur kan de maximale hypotheek voor u berekenen of u kunt dit op *www.eigenhuis.nl/hypotheekservice* zelf doen.

Jaarcontract

Hebt u of uw partner een jaarcontract, dan is het afsluiten van een hypotheek moeilijker. U kunt de werkgever om een intentieverklaring vragen. Hierin staat dat bij gelijkblijvende omstandigheden uw jaarcontract wordt omgezet in een vast contract.

Uitzendbureau

Als u of uw partner al jaren via een uitzendbureau werkt, hoeft het aanvragen van een hypotheek geen probleem te zijn. U kunt de maximale hypotheek laten berekenen op basis van het gemiddelde inkomen in de afgelopen drie jaar, met het inkomen van het laatste jaar als maximum.

Inkomens meetellen

De meeste banken baseren uw maximale hypotheek op twee inkomens, als u met uw partner een woning gaat kopen. Houd er rekening mee dat uw situatie in de toekomst anders kan zijn. Daalt één van beide inkomens of valt er één weg, dan moet het andere inkomen dat opvangen. Dit zal lang niet altijd mogelijk zijn, met als eventueel gevolg dat u uw huis moet verkopen. Deze situatie kan zich voordoen als u minder gaat werken door bijvoorbeeld de komst van kinderen of als u onverhoopt uit elkaar gaat. Ook door arbeidsongeschiktheid of werkloosheid kan het inkomen fors dalen (zie §5.1).

Verantwoord hypotheekbedrag

Wilt u controleren of uw hypotheekadviseur een verantwoorde maximale hypotheek berekent, dan kunt u de adviseur vragen uw maximale hypotheek te (laten) toetsen volgens de richtlijnen van de Nationale Hypotheek Garantie (NHG). Zie §1.8 en *www.nhg.nl* voor meer informatie. Daarnaast bepaalt u zelf wat u maandelijks kwijt wilt zijn aan hypotheeklasten. Bij het NIBUD kunt u terecht voor een algemeen en individueel budgetadvies (*www.nibud.nl*).

NHG in het kort

De Nationale Hypotheek Garantie (NHG) wordt verstrekt door de Stichting Waarborgfonds Eigen Woningen. Het is de naam van de garantie die u kunt krijgen als u een lening afsluit voor het kopen of verbouwen van een woning. Hiermee staat het Waarborgfonds garant voor de terugbetaling van uw hypotheek(bedrag) aan de geldverstrekker. Met de NHG betaalt u een lagere hypotheekrente. De rentekorting kan oplopen tot 0,6%.
Of u voor NHG in aanmerking komt, hangt onder andere af van uw inkomen, de koopsom van de woning en eventuele kosten voor kwaliteitsverbetering. De lening mag in ieder geval niet meer bedragen dan € 265.000,- (norm 2009).

Rekentrucs van geldverstrekkers

Het komt voor dat geldverstrekkers u meer willen lenen dan de NHG-berekening aangeeft. Let in dat geval op rekentrucs die adviseurs gebruiken om de hypotheeklasten te verlagen. Door de rente voor vijf jaar of korter vast te zetten is het rentepercentage relatief laag. Dat geeft op de korte termijn een voordeel, maar aan het einde van die korte rentevaste periode hebt u kans dat de rente is gestegen. Uw maandlasten worden dan al snel veel hoger.
Door een groot deel van de hypotheek aflossingsvrij te maken, krijgt u ook lagere maandlasten, waardoor u meer kunt lenen. U lost echter niets af op uw lening, wat misschien helemaal niet uw bedoeling is. De hoogte van deze aflossingsvrije hypotheek

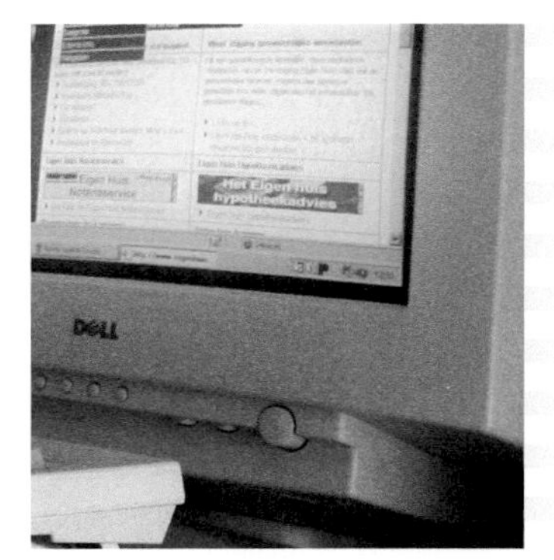

moet passen bij uw inkomen op het moment dat u geen hypotheekrenteaftrek meer hebt, na dertig jaar. Vaak is dat uw pensioeninkomen.
Er zijn echter ook geldverstrekkers die naast het inkomen uw eigen vermogen meetellen om een hogere hypotheek te kunnen verstrekken bij het kopen van een andere woning. Voor de maximale hoogte van de hypotheek wordt dit eigen vermogen opgeteld bij de leensom die mogelijk is op basis van het inkomen. Soms wordt het eigen vermogen eerst vermenigvuldigd met een bepaalde factor, bijvoorbeeld anderhalf, waardoor u nog meer kunt lenen. Hierdoor kunt u een duurder huis kopen dan mogelijk is op basis van alleen het inkomen. Het eigen vermogen wordt dan gebruikt om de (extra) maandlasten te betalen en vaak ook om de (extra) lening mee af te lossen, meestal door middel van beleggingen. Deze constructie brengt een extra risico met zich mee. Want als de beleggingsresultaten tegenvallen, kunt u er de (extra) maandlasten niet meer van betalen. Ook de aflossing van het extra hypotheekbedrag wordt dan onzeker. Leen daarom niet meer dan dat u aan maandlasten kunt betalen met uw maandelijkse inkomen.

1 2 Uitgaven

Bij het berekenen van uw maximale hypotheek en ook later, bij het aanvragen van een hypotheek, spelen uw bestaande financiële verplichtingen een rol. Hebt u een lening die geregistreerd staat bij het Bureau Krediet Registratie (BKR) dan kan uw maximale hypotheek lager uitvallen. Dit geldt ook voor alimentatie die u moet betalen voor uw ex-partner, maar niet voor de alimentatie voor uw kinderen.

Bureau Krediet Registratie (BKR)

Het Bureau Krediet Registratie (BKR) houdt, namens alle verplicht aangesloten kredietverleners, de gegevens bij van alle personen die een krediet hebben of gedurende de afgelopen vijf jaar een krediet hebben gehad. Voor de adresgegevens zie bijlage B.
Deze centrale registratie voorkomt dat mensen te veel kredietverplichtingen op zich nemen. Kredietverleners gebruiken deze toetsing om hun risico's te beperken. Voordat er aan u een lening of hypotheek wordt verstrekt, zal de geldverstrekker uw gegevens bij het BKR toetsen.

Als u een doorlopend krediet hebt en daar niet of nauwelijks gebruik van maakt, dan is het raadzaam om het krediet te royeren (geheel opheffen) of officieel te verlagen. Een te hoge BKR-inschrijving kan uw leencapaciteit voor de hypotheek verlagen. Dat kan in uw nadeel werken bij een hypotheekaanvraag. Stuur daarom een brief naar de instelling waar u het doorlopend krediet hebt lopen. U verzoekt hierin om het doorlopend krediet op te heffen als uw saldo op nul staat of om uw limiet te verlagen als niet het maximale is opgenomen.

Hebt u een (beneden) modaal inkomen (ongeveer € 32.000,-) en leent u het maximale volgens de NHG-norm, dan kan in bepaalde situaties een ingrijpende aanpassing van uw huidige uitgavenpatroon noodzakelijk zijn. Uw besteedbaar inkomen kan na verrekening van de woonlast net boven het bestaansminimum uitkomen. Voor de hogere inkomens is de uitkomst iets beter, namelijk een niveau tussen het bestaansminimum en het gemiddelde uitgavenpatroon in. U moet zelf beoordelen of het verstandig is het maximale te lenen op basis van de NHG-norm.

Niet-vaste inkomensbestanddelen

- winstdelingen;
- niet vaststaande dertiende maand;
- onkostenvergoedingen;
- inkomsten uit overwerk;
- provisie;
- onregelmatigheidstoeslag;
- ploegentoeslag.

Alleen als uit een verklaring van uw werkgever blijkt dat deze inkomsten structureel zijn, kan het bedrag over de laatste twaalf maanden volledig worden meegenomen als toetsinkomen.

1 3 Maximale hypotheek: de waarde van het huis

De maximale hypotheek wordt niet alleen begrensd door uw inkomen maar ook door de waarde van het huis. Het huis is namelijk het onderpand van de lening. Als u de lening niet meer kunt betalen, heeft de geldverstrekker de mogelijkheid om de woning te verkopen. Met de opbrengst wordt de lening afgelost en worden de kosten betaald die de geldverstrekker heeft moeten maken. Deze mogelijkheid wordt door het vestigen van een hypotheekrecht op de woning aan de geldverstrekker gegeven. Hierdoor kan de geldverstrekker een lagere rente aanbieden dan bij bijvoorbeeld een persoonlijk krediet.

Recht van hypotheek

Een recht van hypotheek geeft de geldverstrekker zekerheid ten opzichte van de consument aan wie hij een bepaald bedrag heeft geleend. Als de consument zijn verplichtingen uit de geldleningsovereenkomst niet meer kan nakomen, kan de geldverstrekker op grond van het hypotheekrecht de woning verkopen om daarmee de lening af te lossen. Dit gebeurt volgens bepaalde regels. Het recht van hypotheek wordt opgenomen in het hypotheekregister van het Kadaster. Daarin staat aan wie en voor welk bedrag een recht van hypotheek is verleend. Vanaf het moment dat het hypotheekrecht is ingeschreven is de hypotheek van kracht.
De meeste hypotheken worden als bankhypotheek ingeschreven in het register. Hierbij geldt het hypotheekrecht voor de huidige en alle toekomstige schulden. Dit heeft voordelen als u later een andere hypotheekvorm wilt of afgeloste bedragen opnieuw wilt lenen. U hebt dan niet altijd een nieuwe hypotheekakte nodig.

Taxatie

De waarde van een bestaand huis moet blijken uit een taxatierapport. De geldverstrekker wil graag weten of het bedrag dat u voor het huis betaalt ook de werkelijke waarde is. De kans bestaat namelijk dat u méér betaalt dan de werkelijke waarde. Alleen als u een groot bedrag aan eigen geld inbrengt, bijvoorbeeld de helft van de koopsom, is een taxatie bij sommige geldverstrekkers niet nodig. U kunt dan volstaan met het overleggen van de woz-beschikking. In het taxatierapport staan de executiewaarde en de vrije verkoopwaarde van de woning. Als u gaat verbouwen kunnen deze waarden ook gegeven worden voor de woning na verbouwing. De executiewaarde is de waarde van de woning bij gedwongen verkoop. De vrije verkoopwaarde is de waarde van de woning die volledig eigendom is van de verkoper en die leeg en zonder enige verplichtingen overgedragen kan worden aan de nieuwe eigenaar. Bij een nieuwbouwwoning is een taxatierapport bij de meeste geldverstrekkers alleen nodig als u in eigen beheer de woning bouwt. Daarnaast vragen enkele geldverstrekkers een taxatierapport als u binnen een nieuwbouwproject een woning vanaf € 350.000,- koopt. Hoe de executiewaarde vastgesteld wordt als er geen taxatierapport nodig is, is per geldverstrekker anders.

Eigen Huis Taxatieservice

Leden van Vereniging Eigen Huis kunnen tegen een aantrekkelijk tarief gebruikmaken van Eigen Huis Taxatieservice. De taxatie van de woning wordt uitgevoerd door een lokaal goed ingevoerde taxateur. Het taxatierapport is geschikt voor hypotheekaanvragen en wordt geaccepteerd door alle geldverstrekkers, met uitzondering van Argenta in de vier grote steden. Meer informatie op *www.eigenhuis.nl/taxatieservice*

Eigen Huis Hypotheekservice

Er zijn hypotheekbemiddelaars genoeg maar hoe weet u zeker dat ze onafhankelijk zijn? Bij Eigen Huis Hypotheekservice hebt u die zekerheid. U krijgt van ons niet alleen een advies op maat, maar we bieden ook de mogelijkheid om een offerte aan te vragen en de hypotheek af te sluiten. Dat doen we op een snelle en onafhankelijke manier:

- Geen winstoogmerk, dus scherpe tarieven en premies
- 2.500 hypotheekaanbiedingen worden vergeleken
- Via een overzichtelijke top 5 naar de beste hypotheek voor uw situatie
- Inzicht in de netto maandlasten en hypotheekvoorwaarden

Op *www.eigenhuis.nl/hypotheekservice* kunt u meer informatie vinden.

Als u een hypotheek met NHG afsluit kunt u maximaal de vrije verkoopwaarde van de woning lenen of de koopsom als deze lager is, inclusief de kosten van kwaliteitsverbetering en de bijkomende kosten. Deze bijkomende kosten zijn de kosten die u moet maken om eigenaar te worden van de woning (zoals overdrachtsbelasting en kosten eigendomsakte) en de kosten om de financiering rond te krijgen (zoals de afsluitprovisie, hypotheekaktekosten, taxatiekosten, kosten NHG). Bij een bestaande woning wordt bij NHG gerekend met 12% voor deze bijkomende kosten en bij een nieuwbouwwoning wordt gerekend met 8%. Inclusief deze 12% of 8% mag de totale lening niet hoger zijn dan € 265.000,- (norm 2009).

Leent u zonder NHG, dan hebt u te maken met de verstrekkingsnormen van de betreffende geldverstrekker. Deze gaat uit van de executiewaarde van het huis, de waarde bij gedwongen verkoop. De meeste geldverstrekkers verstrekken hypotheken tot 125% van de executiewaarde van het huis. Dat betekent dat u over het algemeen het bedrag kunt lenen dat u gaat betalen voor de woning plus de kosten die u moet maken om eigenaar te worden en de hypotheek af te sluiten. Als u gaat verbouwen en dat ook mee wil financieren, dan moet uit het taxatierapport blijken dat de totale lening niet meer is dan deze 125% van de executiewaarde na verbouwing.

Executiewaarde

Dit is de waarde bij een gedwongen verkoop. Zo'n verkoop levert minder op dan een normale verkoop waarbij u kunt wachten op de hoogste bieder. De executiewaarde voor een bestaande woning schommelt tussen de 85 en 90% van de vrije verkoopwaarde, afhankelijk van hoe courant het huis is. Dit wordt onder meer bepaald door het karakter, de ligging en de bouwstijl, door de staat van onderhoud en door de voorzieningen in de buurt. De executiewaarde blijkt pas definitief na taxatie. Deze kan lager of hoger uitvallen dan bovenstaande percentages.

De waarde van uw appartement

Een enkele geldverstrekker is voorzichtig met de volledige financiering van appartementen zonder Nationale Hypotheek Garantie (NHG). Zij verstrekken niet automatisch 125% van de executiewaarde van het appartement. Het kan zijn dat de maximale hoogte van uw hypotheek wordt gebaseerd op de hypotheekvorm, het bouwjaar en de hoogte van de koopsom van het appartement. Leden kunnen bij het Informatie & Adviescentrum van Vereniging Eigen Huis navragen om welke geldverstrekkers het hier gaat (tel. (033) 450 77 50). Onderzoek altijd of u in aanmerking komt voor NHG. Dan gelden genoemde beperkingen namelijk niet.

Met name in de Randstad komen nog coöperatieve flatverenigingen voor. Eigenaren zijn dan aangewezen op de 'paraplu'-hypotheek van de flatvereniging, omdat het individuele lidmaatschap niet als onderpand kan dienen voor een hypotheek.
Eigenaren kunnen dus niet zelf een geldverstrekker kiezen. Bovendien moeten zij in veel gevallen eigen geld inbrengen. Daarnaast is het niet mogelijk om met NHG te financieren.

Voordat u het huis koopt

Voordat u definitief een bod uitbrengt op een bestaand huis, is het raadzaam een beeld te hebben van de waarde van het huis. Als u verwacht dat de vraagprijs boven de getaxeerde waarde van het huis ligt en krijgt u de prijs niet naar beneden, dan zou u problemen kunnen krijgen met de financiering. Als de getaxeerde (executie)waarde lager is, gaat de geldverstrekker uit van deze lagere waarde met het bepalen van uw maximale hypotheek.
Op de volgende manieren kunt u een indicatie krijgen van de waarde van een huis:

- waarde-indicatie op internet;
- het Kadaster;
- geveltaxatie.

Waarde-indicatie op internet

Een taxateur inschakelen kost al snel honderden euro's.
Op *www.eigenhuis.nl/watisdathuiswaard* vindt u een snel, simpel en voordelig alternatief. U kunt een globale waarde-indicatie krijgen na het invoeren van een aantal kerngegevens. Denk daarbij aan het woningtype, het aantal kamers, de inhoud en het woonoppervlak. Als het systeem over voldoende gegevens beschikt van vergelijkbare woningen, kunt u een meer nauwkeurige waardebepaling krijgen.

Waarde opvragen via het Kadaster

Via het Kadaster kunt u de koopsom opvragen van een of meerdere woningen in een bepaald postcodegebied, voorzover ze verkocht zijn na 1992. U krijgt dan ook de transactiedatum erbij. Dit kan op drie manieren:

- *Via internet*. U krijgt dan een lijst van woningen die in een bepaald postcodegebied zijn verkocht. Naast de koopsom en de transactiedatum krijgt u een beschrijving per woning. De kosten zijn € 2,15 per overzicht.
- *Via sms*. U ontvangt voor € 1,50 de koopsom met de transactiedatum van de gevraagde woning.
- *Via de koopsomtelefoon 0900-20 20 201*. U ontvangt de koopsom met de transactiedatum van de gevraagde woning. De kosten zijn € 0,60 per minuut en u kunt maximaal 3 koopsommen opvragen.

Meer informatie hierover vindt u op *www.kadaster.nl*

Geveltaxatie

Als de informatie van het Kadaster onvoldoende resultaat oplevert, is soms een zogenaamde geveltaxatie, opgemaakt door een makelaar/taxateur, mogelijk. De woning zal alleen aan de buitenkant worden getaxeerd. Er wordt geen volledig taxatierapport opgemaakt. In plaats daarvan krijgt u een schriftelijke verklaring waarop een indicatie van de vrije verkoopwaarde en de executiewaarde is vermeld. De kosten hiervan zijn veelal beduidend minder dan de kosten van een volledig taxatierapport.

1 4 Subsidiemogelijkheden

Bent u starter op de koopwoningmarkt dan kunt u onderzoeken of u in aanmerking komt voor de Starterslening of voor koopsubsidie.

Starterslening van de gemeente

Om het woningbezit te stimuleren stellen steeds meer gemeenten een zogenaamde renteloze lening beschikbaar via de stichting Stimuleringsfonds Volkshuisvesting Nederlandse gemeenten (SVn). Met een Starterslening – die de vorm heeft van een tweede hypotheek – kunt u het verschil financieren tussen wat u nodig hebt en wat u maximaal kunt lenen voor een specifiek huis, volgens de normen van de NHG. Kost het huis bijvoorbeeld in totaal € 130.000,- en kunt u maar € 100.000,- zelf financieren (met een eerste hypotheek), dan kan de gemeente een extra lening verstrekken van

€ 30.000,-. Behalve renteloos, is deze annuïteitenlening met een looptijd van 30 jaar, in ieder geval de eerste drie jaar aflossingsvrij.

Hoe werkt het?

Het geld voor de Starterslening is afkomstig uit een speciaal fonds dat de gemeente aanhoudt bij SVn. De tegoeden uit dit fonds kunnen onder meer worden ingezet voor Startersleningen en om zo onder andere het woningbezit te bevorderen. De gemeenten die de Starterslening beschikbaar stellen, kunnen daar eigen voorwaarden aan verbinden. Zoals de naam al aangeeft, kunnen alleen starters op de koopwoningmarkt van het aanbod gebruikmaken. Er kunnen grenzen worden gesteld aan het inkomen van de koper. Het vermogen wordt pas meegeteld als deze boven de vrijstelling(en) in belastingbox 3 uitkomt. Na drie jaar gaat de koper – als zijn inkomen voldoende is gestegen – wel rente en aflossing betalen. Als dat niet het geval is, dan kan de koper een hertoets aanvragen en wordt gekeken welke maandlasten passen bij het inkomen op dat moment. Voor deze hertoetsing worden kosten in rekening gebracht. Meer hertoetsmomenten volgen in het zesde, het tiende en het vijftiende jaar.
De gehele financiering moet voldoen aan de normen van de Nationale Hypotheek Garantie. (Zie §1.8 voor meer informatie over de Nationale Hypotheek Garantie.) U mag zelf bepalen bij welke geldverstrekker u de eerste hypotheek afsluit.
Op *www.svn.nl* vindt u meer informatie en een lijst van gemeenten die startersleningen kunnen verstrekken. Via de gemeente kunt u informeren naar de mogelijkheden en voorwaarden die de gemeente bij deze lening stelt.

Corporatie Starterslening

Woningcorporaties kunnen, net als de gemeenten, een fonds openen bij SVn, zodat zij de Starterslening kunnen aanbieden bij verkoop van hun huurwoningen. Op dit moment zijn er drie corporaties die de Corporatie Starterslening aanbieden: De Alliantie, Volksbelang Made en Ymere.

Koopsubsidie

De wet Bevordering Eigen Woningbezit (BEW) is bedoeld om de keuzevrijheid tussen huren en kopen te vergroten. Hiervoor is de koopsubsidie in het leven geroepen. De koopsubsidieregeling is bedoeld voor huishoudens met een laag inkomen die nu veelal gebruikmaken van huursubsidie. De subsidie is een tegemoetkoming in de hypotheeklasten die kan worden toegekend bij de aankoop van een woning. De hoogte is onder andere afhankelijk van uw inkomen en uw vermogen. Informeer naar de mogelijkheden voor koopsubsidie bij uw hypotheekadviseur. Op *www.senternovem.nl* kunt u berekenen of u voor koopsubsidie in aanmerking komt. U treft daar ook actuele informatie aan over de regeling en de voorwaarden. U vraagt de subsidie niet zelf aan; dat doet de bank of de instantie die u een hypotheek aanbiedt samen met u via SenterNovem. De aanvraagprocedure voor koopsubsidie duurt ongeveer twee weken.

Koopvarianten

Verschillende gemeenten en woningcorporaties verkopen hun woningen met korting. Zij gebruiken daar verschillende koopvarianten voor. Voorbeelden hiervan zijn: koopgarant, koopcomfort, koop goedkoop, slimmer kopen, beter koop en sociale koop. De kenmerken van deze varianten zijn dat zij worden aangeboden met bijvoorbeeld een aanbiedingsplicht, terugkoopgarantie en deling in de waardeontwikkeling.
De koopvarianten kunnen gecombineerd worden met koopsubsidie of de starterslening.

Let op

Het is niet mogelijk om bij iedere geldverstrekker een hypotheek met koopsubsidie of een starterslening af te sluiten. Informeer hiernaar bij uw adviseur.

1 5 Inbreng van eigen geld

Met eigen geld kunt u uw maandelijkse hypotheeklasten op twee manieren verlagen. U kunt daarmee een deel van de koopsom betalen:dan is de hypotheek die u nodig hebt lager. De andere optie is dat u uw eigen geld integreert in de hypotheekvorm: u gebruikt dit geld om bijvoorbeeld een extra premie te storten in een aan de hypotheek verbonden levensverzekering. Deze laatste mogelijkheid wordt verder beschreven in §2.5.

Voordat u al uw eigen geld in het huis stopt, is het verstandig om na te gaan hoeveel u apart wilt houden voor andere uitgaven. Het is niet aan te raden om al uw eigen geld in uw huis te stoppen. Bepaalde zaken (bijvoorbeeld verhuis- en inrichtingskosten) kunt u om fiscale redenen beter met eigen geld betalen. Daarbij maakt het ook uit of uw eigen geld bestaat uit spaar- of beleggingstegoeden of uit de overwaarde van uw vorige huis.

Bestaat uw eigen geld uit spaar- of beleggingstegoeden, dan bepaalt u eerst of u geld wilt reserveren voor de volgende zaken en hoeveel:
- verhuizing en inrichting;
- financiële reserve voor consumptieve uitgaven;
- bouwrente (bij een nieuwbouwhuis).

Verhuizing en inrichting

Verhuis- en inrichtingskosten kunt u het beste met eigen geld betalen. Als u die kosten meefinanciert, hebt u daarover namelijk geen hypotheekrenteaftrek. Daarnaast kunt u deze kosten meestal niet eens meefinancieren, omdat u dan al snel te veel leent ten opzichte van de waarde van de woning. Bij de meeste geldverstrekkers kunt u maximaal 125% van de executiewaarde kunt lenen, zie §1.3.
Bij de koop van een bestaand huis moet u rekenen op ongeveer 8% van de koopsom voor verhuis- en inrichtingskosten en bij een nieuwbouwhuis op ongeveer 10%. U moet deze percentages niet verwarren met de 'kosten koper' die in de volgende paragraaf worden besproken. Het percentage bij nieuwbouw is hoger, mede omdat het huis nog niet is gestoffeerd. Let op: deze percentages kunnen in de praktijk afwijken, omdat ze voor een deel afhankelijk zijn van uw eigen wensen.

Financiële reserve voor consumptieve uitgaven

Houd eigen geld apart voor consumptieve uitgaven. Sluit liever een hogere hypotheek af met behoud van de volledige renteaftrek (omdat u de lening aangaat voor de koop van het huis) en houd uw eigen geld (spaargeld) in reserve voor toekomstige consumptieve uitgaven. Hoe groot die reserve moet zijn, is een persoonlijke afweging.

Bouwrente (bij een nieuwbouwhuis)

Rente over meegefinancierde uitstelrente en hypotheekrente tijdens de bouw is niet aftrekbaar. Uitstelrente en hypotheekrente tijdens de bouw worden samen ook wel bouwrente genoemd. Als u voldoende eigen middelen hebt, is het meestal fiscaal voordeliger om bouwrente uit eigen middelen te betalen. Wilt u zo voordelig mogelijk de bouwrente financieren, lees dan §8.3 over bouwrente.

Spaarloon

Als u via uw werkgever meedoet aan een spaarloonregeling, kunt u dit spaarsaldo gebruiken voor de koop van een huis. Het geld op een spaarloonregeling is voor vier jaar geblokkeerd, maar voor de koop van een huis kunt u dit geld 'deblokkeren'.

Of het verstandig is om het restant van uw eigen geld in te brengen in de hypotheek of apart te houden, kan uw hypotheekadviseur voor u berekenen.
Op *www.eigenhuis.nl/welofnietaflossen* kunt u ook uw eigen situatie doorrekenen op basis

van een aflossingsvrije hypotheek. In het rekenvoorbeeld ziet u wat er met de lasten gebeurt als u € 20.000,- apart houdt of inbrengt in de hypotheek.

Eigen geld: overwaarde in de huidige koopwoning

Bestaat uw eigen geld uit overwaarde uit het vorige huis dan kan het voordeliger zijn om dit geld juist in te brengen in het huis. Dit wordt veroorzaakt door de bijleenregeling (zie §8.4). In de rekenvoorbeelden ziet u de financiële consequenties van beide opties: inbrengen of apart houden. Het geld dat u apart houdt, zet u op een spaarrekening.

Rekenvoorbeeld 1: Eigen geld bestaat uit spaar- of beleggingsgeld

Uitgangspunten:

- € 20.000,- eigen geld
- Belastingpercentage 42%
- Vermogensvrijstelling box 3 volledig benut
- Hypotheekrente 5%
- Rente spaarrente 2,5%

Inbreng eigen geld in hypotheek:

- Besparing bruto hypotheekrente € 1.000,- (€ 20.000,- x 5%)
- Netto besparing € 580,- (€ 1.000,- x (100%-42%))

Eigen geld op spaarrekening:

- Ontvangen rente € 500,- (€ 20.000,- x 2,5%)
- Te betalen vermogensrendementsheffing € 240,- (€ 20.000,- x 1,2%))
- Netto opbrengst: € 260,- (€ 500,- min € 240,-)

Conclusie: het is financieel aantrekkelijker om uw eigen geld in te brengen in de woning. Uw voordeel op jaarbasis is namelijk € 320,- (€ 580,- min € 260,-).

Rekenvoorbeeld 2: Eigen geld bestaat uit overwaarde op huidige woning

Uitgangspunten:

- € 20.000,- eigen geld uit overwaarde
- Belastingpercentage 42%
- Vermogensvrijstelling box 3 volledig benut
- Hypotheekrente 5%
- Rente spaarrente 2,5%

Inbreng overwaarde in eigen woning:

- Besparing hypotheekrente € 1.000,- (€ 20.000,- x 5%)
- Bruto besparing is gelijk aan netto besparing omdat geen renteaftrek verkregen kan worden indien overwaarde beleend wordt

Eigen geld op spaarrekening:

- Ontvangen rente € 500,- (€ 20.000,- x 2,5%)
- Geen vermogensrendementsheffing verschuldigd doordat het niet-aftrekbaar deel van de hypotheekschuld (gelijk aan overwaarde) een aftrekpost in box 3 vormt.

Conclusie: het is financieel aantrekkelijker om uw eigen geld in te brengen in de woning. Uw voordeel op jaarbasis is € 500,- (€ 1.000,- min € 500,-).

1.6 Kosten bij aankoop van een woning

Het kopen van een eigen woning kost geld. U betaalt niet alleen voor de woning zelf, maar ook voor het aanschaffen ervan. Het maakt wel uit of u een bestaand huis of een nieuwbouwhuis koopt.

Bestaand huis

Naast de koopsom, de verhuis- en inrichtingskosten krijgt u bij de koop van een bestaande woning te maken met bijkomende kosten, de zogeheten 'kosten koper'. Kosten koper bestaan uit 6% overdrachtsbelasting, notariskosten, diverse financieringskosten zoals afsluitprovisie en taxatiekosten en eventueel de kosten van een makelaar. Zie hiervoor ook het voorbeeld van een eindafrekening van de notaris in §6.9. Als u geen eigen geld inbrengt in uw nieuwe huis, bent u in totaal ongeveer 8% van de koopsom kwijt aan de kosten koper. Schakelt u een makelaar in, dan is dat ongeveer 10%. De kosten van de makelaar bedragen circa 2% over de getaxeerde waarde van het huis. Uitgebreide informatie over het kopen van een bestaande woning en de bijkomende kosten vindt u in ons boek *Bestaand huis kopen*, te bestellen op *www.eigenhuis.nl/boeken* (prijs voor leden € 11,50; normale prijs € 14,50).

Hypotheek (bijna) afgelost

Sinds 1 januari 2005 krijgt iedereen die (bijna) geen hypotheek op de eigen woning meer heeft, een extra aftrek ter grootte van het eigenwoningforfait. Meer hierover leest u in §8.2.

Let op: werkbare werkdagen

In de koop-/aannemingsovereenkomst staat het aantal werkbare werkdagen genoemd. Vuistregel is dat er ruim 180 werkbare werkdagen in een jaar zitten. In de werkelijkheid is dit per jaar verschillend en mede afhankelijk van het weer. Het is belangrijk rekening te houden met een eventuele langere bouwtijd voor het berekenen van de hypotheekrente tijdens de bouw. Laat dit door de hypotheekadviseur goed berekenen.

Nieuwbouwhuis

Bij de koop van een nieuw huis, betaalt u de koop-/aanneemsom plus eventuele kosten van meerwerk. Ook hier hebt u te maken met verhuis- en inrichtingskosten en bijkomende kosten. De bijkomende kosten bestaan voornamelijk uit bouwrente. Bouwrente is een verzamelnaam voor rentekosten die u betaalt tijdens de bouwperiode. Het gaat dan met name om de hypotheekrente tijdens de bouw en de uitstel- en grondrente die u moet betalen over de periode tussen het sluiten van de koop-/aannemingsovereenkomst en de eigendomsoverdracht bij de notaris. De fiscale behandeling van het meefinancieren van bouwrente kunt u nalezen in §8.3. Naast de bouwrente horen ook de financieringskosten tot de andere bijkomende kosten. In totaal bent u ongeveer 8% kwijt aan deze bijkomende kosten.

Meer informatie over het kopen van een nieuwbouwwoning leest u in *Nieuwbouwhuis kopen*. Wilt u het boek bestellen, ga dan naar *www.eigenhuis.nl/boeken* (prijs voor leden € 11,50; normale prijs € 14,50). Zie verder ook het voorbeeld maximale koopsom.

Rekenvoorbeeld: maximale koopsom

Indicatie maximale koopsom of koop-/aanneemsom

De maximale hypotheek in deze voorbeeldberekening is € 250.000,-.

Dit bedrag is beschikbaar voor de aankoop van de woning inclusief de kosten koper of de bijkomende kosten. Welk bedrag dan beschikbaar is voor de aankoop van de woning, de koopsom of de koop-/aanneemsom, kunt u als volgt berekenen:

Bestaande woning			
maximale hypotheek	110%		€ 250.000,–
koopsom*	100%	€ 250.000,– x 100 : 110	€ 227.272,–
kosten koper	10% (met makelaar)	€ 227.272,– x 10%	€ 22.727,–
Nieuwbouwwoning			
maximale hypotheek	108%		€ 250.000,–
koop-/aanneemsom*	100%	€ 250.000,– x 100 : 108	€ 233.645,–
bijkomende kosten	8%	€ 233.650,– x 8%	€ 16.355,–

* De koopsom en koop-/aanneemsom zijn inclusief eventuele verbouwingskosten en kosten van meerwerk.

17 Woonlasten

Voordat u een bod uitbrengt op basis van de berekende maximale koopsom, moet u stilstaan bij de woonlasten en uw uitgavenpatroon. Nu is natuurlijk de vraag wat uw woonlasten worden bij het hypotheekbedrag dat u in uw hoofd hebt. Als huiseigenaar houdt u rekening met de volgende zaken:

- hypotheeklasten;
- eigenwoningforfait;
- onroerendezaakbelasting;
- onderhoudskosten;
- opstalverzekering;
- overige lasten (gas, water, licht enzovoort);
- erfpacht (eventueel).

Hypotheeklasten

De kosten van wonen in een koophuis worden woonlasten genoemd. Deze woonlasten bestaan meestal voor het grootste deel uit hypotheeklasten, met name hypotheekrente. Het andere (kleinere) deel van de hypotheeklast bestaat uit eventuele aflossingen en/of premies die u betaalt voor een levensverzekering die bij de hypotheek wordt afgesloten. De hypotheekrente ten behoeve van de eigen woning mag u van uw inkomen aftrekken. Dit levert u in de meeste gevallen een belastingvoordeel op. U kunt de Belastingdienst verzoeken dit belastingvoordeel via een voorlopige teruggaaf maandelijks op uw rekening te laten storten. U kunt er ook voor kiezen dit ineens achteraf (via uw aangifte) te laten uitbetalen. Hoeveel geld u terugkrijgt, is afhankelijk van uw inkomen en overige aftrekposten en het eigenwoningforfait en andere bijtelposten. Deze factoren bepalen

het inkomen dat uiteindelijk wordt belast. Het belastingtarief dat voor uw belastbaar inkomen geldt, kan variëren van 33,50 tot 52%. Voor 65-plussers varieert dit van 15,60% tot 52%.

Let op extra kosten

In de hypotheekberekeningen bij een hypotheekadviseur worden niet al deze kosten meegenomen. Onroerendezaakbelasting, onderhoudskosten en de opstalverzekering worden meestal niet meegerekend. Houd hier rekening mee.

Eigenwoningforfait

Het eigenwoningforfait is een bijtelpost bij uw inkomen. Over deze bijtelling betaalt u belasting. Meer informatie over het eigenwoningforfait vindt u in §8.2.

Onroerendezaakbelasting

Het OZB-tarief verschilt per gemeente. Op onze website kunt u berekenen wat de woonlasten zijn in uw gemeente. Onze module 'Bereken gemeentelijke woonlasten' (*www.eigenhuis.nl/woonlasten*) geeft u een overzicht van de hoogte van de tarieven voor onroerendezaakbelasting, reinigingsheffing en rioolrechten in uw gemeente. Voor de hoogte van de bijkomende waterschapslasten raden wij u aan contact op te nemen met uw waterschap.

Onderhoudskosten

U moet ook rekening houden met onderhoudskosten. Misschien niet op korte termijn, maar wel op de langere termijn. Onderhoudt u het huis niet, dan merkt u dat waarschijnlijk bij de verkoop. Om na te gaan wat u moet reserveren voor de maandelijkse onderhoudskosten kunt u uitgaan van de waarde van het huis. Bij een (geschatte) vrije verkoopwaarde tot € 100.000,- reserveert u € 90,-. Voor elke € 40.000,- die de geschatte vrije verkoopwaarde hoger is, rekent u er € 11,- bij. Om een indruk te krijgen van de onderhoudskosten van uw woning kunt u ook de rekenmodule op *www.eigenhuis.nl/onderhoudskosten* gebruiken.
Deze bedragen zijn gebaseerd op doe-het-zelftarieven. Besteedt u alles uit, dan moet u minimaal op het dubbele aan kosten rekenen. Ook als u een oud en onderhoudsgevoelig huis koopt, moet u rekening houden met hogere kosten.

Opstalverzekering

Het huis moet ook worden verzekerd met een opstal- of woonhuisverzekering. Deze keert uit als het huis afbrandt of op een andere manier geheel of gedeeltelijk tenietgaat. Een opstalverzekering kost gemiddeld € 1,- per jaar per € 1.000,- verzekerde waarde (inclusief glas). Het verzekerde bedrag wordt meestal vastgesteld op basis van de zogenaamde herbouwwaarde. Soms wordt het verzekerde bedrag vastgesteld als vast bedrag om onderverzekering zoveel mogelijk te voorkomen. U kunt aan de hand van de

herbouwwaarde controleren of het vastgestelde bedrag ook past bij de waarde van uw woning.
De grond hoeft u nooit mee te verzekeren. Het meeverzekeren van de fundering is wel raadzaam. Voor een nieuwbouwhuis geldt dat de herbouwwaarde gelijk is aan de aanneemsom, inclusief de eventuele kosten van meerwerk en exclusief de grondprijs. Soms hanteert de verzekeraar een zogenaamde serietoeslag, als het huis in een project wordt gebouwd. De verzekerde waarde (herbouwwaarde) van een bestaande woning treft u soms aan in een volledig taxatierapport van een makelaar.
Leden van Vereniging Eigen Huis kunnen de herbouwwaarde van hun woning ook bepalen op *www.eigenhuis.nl/herbouwwaardemeter*

Overige lasten

Naast de lasten die u als huiseigenaar hebt, hebt u natuurlijk ook andere (woon)lasten. Zoals kosten voor water, gas, licht en woon-werkverkeer. Dit zijn lasten die een huurder ook betaalt en die daarom in de berekening elders op deze pagina niet zijn meegenomen. Wilt u een volledig beeld krijgen van de financiële gevolgen van een eigen huis, dan moet u al uw uitgaven en inkomsten naast elkaar zetten. Houd er dan rekening mee dat bepaalde kosten door de verhuizing kunnen wijzigen, bijvoorbeeld energiekosten, de kosten voor woon-werkverkeer en de gemeentelijke heffingen. Informatie hierover kunt u inwinnen bij het NIBUD (*www.nibud.nl*).

Rekenvoorbeeld: woonlasten per maand

Uitgaande van 42% belastingteruggave over de betaalde hypotheekrente (5%) over de gehele lening, een tweeverdienersituatie waarbij de man en vrouw (35 jaar) zich verzekeren tegen overlijden. Zij brengen geen eigen geld in. Er wordt uitgegaan van een volledige spaarhypotheek. Zie §2.7 voor een uitleg van de verschillende hypotheekvormen.

Huis van:	**€ 185.000,- (lening € 200.000,-)**	**€ 275.000,- (lening € 297.000,-)**
netto hypotheeklast	€ 832,-	€ 1.235,-
onderhoud	€ 113,-	€ 138,-
onroerendezaakbelasting	€ 15,-	€ 23,-
opstalverzekering	€ 15,-	€ 23,-
reinigingsheffing en rioolrechten	€ 34,-	€ 34,-
totale netto woonlast per maand	€ 1.008,-	€ 1.432,-

Erfpacht en hypotheek

In een aantal gemeenten staan woningen op erfpachtgrond. U wordt dan geen eigenaar van de grond, maar krijgt deze in gebruik. Daarvoor bent u een vergoeding aan de

gemeente verschuldigd (de erfpachtcanon), die meestal jaarlijks moet worden betaald. Iedere opvolgende koper van het huis is ook aan de erfpachtvoorwaarden gebonden die de gemeente oplegt. Als u de keuze krijgt tussen erfpacht of grond in eigendom, adviseren wij de grond in eigendom te kopen. U houdt dan volledige zeggenschap en u bent de gemeente verder niets meer verschuldigd voor de grond.
Het is ook mogelijk dat u al enige tijd eigenaar bent van een woning met erfpacht en alsnog de mogelijkheid krijgt om de grond in eigendom te verkrijgen. Houdt u er dan rekening mee dat de geldverstrekker een nieuwe hypotheekakte kan eisen waarin ook de grond als zekerheid voor de verstrekte financiering moet worden opgenomen.

Komt u niet onder de erfpachtsituatie uit, dan is het raadzaam de betalingsverplichting (de erfpachtcanon) voor een zo lang mogelijke periode af te kopen, liefst eeuwigdurend. U betaalt daarvoor een eenmalig bedrag (de zogenaamde afkoopsom) dat u eventueel kunt meefinancieren in de hypotheek.
Resteert bij een eventuele verkoop van uw woning nog een aanzienlijk deel van de afkoopperiode, dan kan dat een positieve invloed op de verkoopwaarde hebben. Als afkopen niet mogelijk is, kunt u te maken krijgen met tussentijdse canonverhogingen. De hoogte van de canon wordt namelijk telkens voor een periode van een bepaald aantal jaren afgesproken.

Een jaarlijkse canonverplichting is fiscaal aftrekbaar. Een eventuele afkoopsom is niet fiscaal aftrekbaar. Als u de afkoopsom financiert met een geldlening, is de rente over deze geldlening wél fiscaal aftrekbaar. De fiscus stelt daarbij wel de voorwaarde dat het huis dat op de erfpachtgrond staat uw hoofdverblijf is.
Indien u de aankoop van een reeds bestaande woning financiert met Nationale Hypotheek Garantie (NHG) en uw erfpachtovereenkomst is gesloten vóór 1992, wordt nog een extra voorwaarde gesteld als u de afkoopsom financiert met een hypothecaire geldlening. De (resterende) duur van het recht van erfpacht mag dan niet korter zijn dan de helft van de looptijd van de lening. Deze voorwaarde is niet van toepassing als in de overeenkomst is opgenomen dat het recht van erfpacht na de (resterende) duur onvoorwaardelijk wordt verlengd. Ook als uw hypothecaire geldlening met NHG al enige tijd loopt kunt u onder voorwaarden de lening tussentijds verhogen met de afkoopsom voor de erfpachtcanons.

18 Nationale Hypotheek Garantie

Het is raadzaam na te gaan of u in aanmerking komt voor Nationale Hypotheek Garantie (NHG). NHG houdt in dat de Stichting Waarborgfonds Eigen Woningen (WEW) garant staat voor de aflossing van uw hypotheek. Hierdoor loopt de geldverstrekker (een bank, verzekeringsmaatschappij, pensioenfonds en dergelijke) geen risico. Uw hypotheekrente is daardoor lager en u hoeft voor de aanschaf van het huis in principe geen eigen geld in te brengen.

Bij betalingsproblemen is het een voordeel om een hypotheek op basis van NHG te hebben. Als u de maandlast niet meer kunt betalen, neemt u contact op met de geldverstrekker en kijkt u op de site van de NHG (*www.nhg.nl*) om na te gaan wat u kunt doen om uit de problemen te komen. Als de hoogte van de hypotheek hoger is dan de waarde van de woning zal de geldverstrekker en de NHG u toestemming moeten geven om zelf de woning te mogen verkopen voor een zo hoog mogelijke prijs. Probeer zoveel mogelijk executieverkoop te vermijden.
Na de verkoop zal de Stichting Waarborgfonds Eigen Woningen (WEW) de restschuld waarvoor zij garant staat aan de geldverstrekker overmaken. Het waarborgfonds kan de restschuld op u verhalen, maar scheldt deze kwijt, als blijkt dat u buiten uw schuld in de problemen bent gekomen en dat u er alles aan hebt gedaan om de restantschuld zoveel mogelijk te beperken. Dit wordt voor iedere individuele situatie apart bekeken. Het bedrag waarvoor het WEW garant staat, is op basis van een annuïteitenhypotheek. Als u een andere hypotheekvorm hebt, kan het zijn dat de werkelijke restschuld hoger is dan het bedrag waarvoor de Stichting garant staat. U houdt dan voor het meerdere bedrag een schuld bij de geldverstrekker over.

Woonlastenfaciliteit van de NHG

Sinds 1 januari 2005 biedt de NHG de Woonlastenfaciliteit. Doel van deze faciliteit is het overbruggen van een periode van betalingsproblemen en gedwongen verkoop van de woning te voorkomen. De Woonlastenfaciliteit biedt u de mogelijkheid om de woonlasten te betalen vanuit een aanvullende lening, als u een hypotheek hebt met NHG en u bent in financiële problemen gekomen door een echtscheiding, arbeidsongeschiktheid, werkloosheid of het overlijden van uw partner. De hoogte van de aanvullende lening is gemaximeerd tot 1,5 x hypotheekrentepercentage x lening. Als de aanvullende lening gebruikt is, moet u de hypotheek met de extra lening weer zelf betalen of eventueel uw woning verkopen. De woonlastenfaciliteit kan alleen worden toegepast als de WEW voorafgaand schriftelijk toestemming heeft gegeven.

Voorwaarden

De Stichting WEW staat niet zomaar garant. De koopsom voor 2009 mag niet hoger zijn dan € 236.607,14 (bestaand huis, inclusief de kosten van kwaliteitsverbetering) of € 245.370,37 (nieuwbouwhuis, inclusief de kosten van meerwerk). Als uit het taxatierapport blijkt dat de getaxeerde waarde anders is dan het bedrag dat u voor de woning betaalt, dan geldt het laagste bedrag. De totale kosten van het 'in eigendom krijgen' van de woning, en dus de totale hypotheek, mogen inclusief de 8% of 12 % voor de bijkomende kosten niet hoger zijn dan € 265.000,- (norm 2009). Daarnaast moet het inkomen toereikend zijn om de hypotheeklast te dragen. De woning moet door u als eigenaar daadwerkelijk worden bewoond. NHG wordt niet verleend voor de aanschaf van een tweede woning. Kijk voor meer informatie over de voorwaarden op *www.nhg.nl*

NHG aanvragen

De aanvraag voor NHG wordt door de geldverstrekker geregeld. De kosten bedragen eenmalig 0,45% (2009) over het hypotheekbedrag. Deze kosten zijn fiscaal aftrekbaar en verdient u snel terug door de lagere rente die geldt voor hypotheken met NHG. U kunt de garantie aanvragen bij de koop of bij kwaliteitsverbetering van uw huis. De kosten van deze kwaliteitsverbetering dienen te blijken uit het taxatierapport, een bouwkundig rapport en/of een door de aanvrager te overleggen specificatie. Op *www.nhg.nl* vindt u wat kwaliteitsverbetering precies inhoudt. Voor meer informatie over de NHG kunt u terecht op de website *www.nhg.nl* of telefonisch 0900-112 23 93 (€ 0,35 per minuut).

1 9 Ontbindende voorwaarden koopovereenkomst

Meestal koopt u eerst een huis en vraagt u pas daarna een hypotheekofferte aan. De bank kan pas een offerte uitbrengen als duidelijk is hoeveel geld u nodig hebt. Aan de ene kant verplicht u zich dus tot koop, aan de andere kant is nog niet voor honderd procent zeker of de financiering wel rondkomt.
Het is daarom gebruikelijk en verstandig om in het koopcontract vast te leggen dat u de koop kunt ontbinden als u de financiering niet rond krijgt. Het niet rond krijgen van de financiering wordt dan één van de ontbindende voorwaarden in het koopcontract. Er bestaan modelcontracten waarin al ontbindende voorwaarden zijn opgenomen. Als u de koop onder de daarin genoemde ontbindende voorwaarden aangaat, dan hoeft u ze alleen nog maar in te vullen.
Bij nieuwbouwwoningen die onder garantie van het Garantie Instituut Woningbouw (GIW) worden gebouwd, hanteert men het modelcontract van het GIW. Voor de (ver)koop van bestaande woningen hanteren NVM-makelaars de 'modelkoopovereenkomst'. In deze modelcontracten zijn de belangrijkste ontbindende voorwaarden opgenomen. Wij adviseren u altijd zo'n modelcontract te gebruiken. Via *www.eigenhuis.nl/contracten* kunt u deze downloaden. Wanneer de verkoper u geen modelcontract voorlegt, is het raadzaam om daarop zelf aan te dringen.
Het is niet zo dat een overeenkomst 'automatisch' wordt ontbonden. U moet zonodig zelf binnen de daarvoor bepaalde termijn in actie komen en een beroep doen op de ontbindende voorwaarde.

Schema bedenktijd bestaande woningen

Koopovereenkomst ontvangen op	Bedenktijd eindigt op*
Maandag	Donderdag
Dinsdag	Vrijdag
Woensdag	Maandag
Donderdag	Maandag
Vrijdag	Dinsdag
Zaterdag	Dinsdag
Zondag	Woensdag

* Er is geen rekening gehouden met eventuele feestdagen.

Drie dagen bedenktijd

Op 1 september 2003 is de wet 'Koop van onroerende zaken en aanneming van werk' ingevoerd. Een belangrijk onderdeel van de wet is dat kopers van bestaande en nieuwbouwwoningen een wettelijke bedenktijd hebben: zij hebben het recht om de koopovereenkomst binnen drie dagen te ontbinden, kosteloos en zonder opgaaf van redenen. De bedenktijd gaat in op de dag na de dag waarop u de door beide partijen ondertekende overeenkomst hebt ontvangen.
Het aantal van drie dagen is een wettelijk minimum, u kunt gezamenlijk een langere bedenktijd afspreken. Minimaal twee van die drie dagen moeten werkdagen zijn. De bedenktijd geldt alleen voor de koper. Het schema hierna geeft u een helder overzicht.
Het is daarom van belang dat partijen zo snel mogelijk na het bereiken van mondelinge overeenstemming het koopcontract ondertekenen. Afgezien van de wettelijke bedenktijd blijft het van belang om met de verkoper 'ontbindende voorwaarden' overeen te komen. Een termijn van drie dagen is immers niet lang genoeg om bijvoorbeeld na te gaan of u een financiering kunt verkrijgen.

Wanneer ontbindende voorwaarden noemen?

Voor een bestaande woning meldt u de ontbindende voorwaarden al bij het uitbrengen van het eerste bod.

Als u zich inschrijft voor een nieuwbouwproject, kunt u nog geen ontbindende voorwaarden noemen. Daarvoor is het nog te vroeg. Er komt op dat moment immers nog geen koopovereenkomst tot stand.

Als er sprake is van een zogenaamde 'voorovereenkomst', dan moet u wel aangeven welke ontbindende voorwaarden u in de koop-/aannemingsovereenkomst wilt laten opnemen. In een voorovereenkomst verplicht u zich om later een koop-/aannemingsovereenkomst te ondertekenen, waarvan u de inhoud op dat moment nog niet kent. Vereniging Eigen Huis is hier geen voorstander van, maar soms kunt u er niet omheen. Een koop-, intentie- of reserveringsverklaring zijn andere namen voor dezelfde voorovereenkomst. Ook als u een optie op een nieuwbouwwoning neemt, is dat het moment om de ontbindende voorwaarden ter sprake te brengen.

Voor de financiering belangrijke ontbindende voorwaarden

In principe kunt u iedere voorwaarde waarmee de verkoper akkoord gaat als ontbindende voorwaarde in het koopcontract opnemen. Vaak wordt een ontbindende voorwaarde opgenomen in verband met het verkrijgen van financiering, Nationale Hypotheek

Garantie (NHG) en een huisvestingsvergunning. Ook een bouwtechnische keuring wordt bij de koop van een bestaande woning regelmatig als ontbindende voorwaarde opgenomen. Met betrekking tot de financiering zijn de volgende ontbindende voorwaarden van belang:

- Het niet verkrijgen van de benodigde hypotheek met een opgegeven maximale hypotheeklast. In alle modelcontracten kunt u de maximale bruto maand- of jaarlast aangeven. Het is belangrijk deze in te vullen. Als uit hypotheekoffertes blijkt dat de hypotheeklasten hoger uitpakken dan aangegeven, kunt u een beroep doen op deze ontbindende voorwaarde.
- Vermeld bij de bruto last ook de hoogte van de hypotheek, de looptijd, het rentepercentage en de hypotheekvorm. Deze bepalen namelijk de bruto maandlast.
- Het niet verkrijgen van Nationale Hypotheek Garantie (NHG), terwijl u daar gezien de koopsom wel voor in aanmerking komt. Als u geen NHG krijgt, kan dat vervelende gevolgen hebben. De meeste geldverstrekkers berekenen dan een hogere hypotheekrente. Soms is meer eigen geld nodig. Al met al kan dit een reden zijn om van de koop te willen afzien.
- Overlijden voordat de hypotheek ingaat. Als u komt te overlijden, zijn uw nabestaanden verplicht om het huis te kopen. Wilt u dat voorkomen, dan is het verstandig om overlijden als ontbindende voorwaarde op te nemen.

1 10 Ouders helpen kinderen

Het kopen van een woning is voor starters en jonge doorstromers vaak te duur. Wellicht behoort u ook tot deze categorie en wilt u bijvoorbeeld dichter bij uw werk gaan wonen, maar lukt het u niet om woonruimte te vinden. Huurhuizen zijn er niet en geschikte koophuizen zijn te duur. U kunt natuurlijk afzien van het kopen van een eigen huis. Wanneer uw ouders echter meer financiële armslag hebben dan u en bereid zijn u financieel een handje te helpen, kunt u wellicht toch nog de woning kopen die u op het oog had.

Uw ouders kunnen u dan op verschillende manieren financieel bijstaan:

- garant staan;
- geld lenen of schenken;
- gezamenlijke koop;
- u wordt huurder van het huis.

Garant staan

U kunt op uw inkomen niet het gewenste bedrag lenen, maar uw geldverstrekker is wel bereid om de lening aan u te verstrekken als uw ouders garant staan voor het nakomen van de aflossingsverplichting (mededebiteurschap). De geldverstrekker is hiertoe bereid, omdat bijvoorbeeld wordt verwacht dat uw inkomen zich in de toekomst zo zal ontwikkelen dat u op basis hiervan de financieringslasten op den duur wel zelf zal kunnen dragen.

U betaalt de rente voor de lening helemaal zelf. Let op: u gaat meer lenen dan op basis van uw eigen inkomen mogelijk is, waardoor uw maandlasten te hoog kunnen worden. Een mogelijkheid hierbij is dat uw ouders u maandelijks of jaarlijks een bedrag schenken om uw maandlast draaglijker te maken.

De geldverstrekker doet pas een beroep op uw ouders zodra u de maandelijkse betalingen niet meer kunt voldoen. Uw ouders worden medeschuldenaar op de hypothecaire lening en stellen zich daarmee garant voor betaling van de rente en aflossing. Zij compenseren met hun inkomen feitelijk uw inkomenstekort. Vanaf het moment dat u de lasten zelf kunt dragen, kan in goed overleg met de geldverstrekker het mededebiteurschap vervallen.

Bewust schenken en nalaten

Het eigen huis vormt meestal het grootste bestanddeel van een nalatenschap. Het is de vraag wat daar bij uw overlijden mee gebeurt. In de webpublicatie *Bewust schenken en nalaten* leest u hoe u ervoor zorgt dat uw nalatenschap in de juiste handen komt. Daarnaast wilt u voorkomen dat uw nabestaanden te veel successierechten moeten betalen. Welke slimme constructies hiervoor te bedenken zijn, leest u ook in *Bewust schenken en nalaten*. U kunt deze publicatie downloaden van *www.eigenhuis.nl/webpublicaties* (prijs voor leden € 3,95; normale prijs € 5,50).

Geld lenen

U kunt ook het deel van de hypotheek dat de geldverstrekker niet bereid is aan u te verstrekken, lenen van uw ouders. Zij betalen dan het verschil tussen wat u kunt lenen en wat u nodig hebt om de woning te kopen. Als dit gebeurt tegen een marktconforme rente, krijgt u ook hier te maken met hoge maandlasten. De maandlasten kunnen draaglijker worden wanneer uw ouders u jaarlijks een bedrag schenken. De rente die u uw ouders voor een lening betaalt, is fiscaal aftrekbaar als u deze gebruikt voor de eigen woning.

Schenking

Een andere mogelijkheid is dat uw ouders u het verschil tussen wat u maximaal kunt lenen en het bedrag dat nodig is om de woning te kopen, volledig schenken. Hierdoor kunt u meer eigen vermogen inbrengen. Jaarlijks mogen uw ouders € 4.556,- (2009) schenken zonder dat u daarover schenkingsrecht hoeft te betalen. Als u tussen de 18 en 35 jaar bent, mogen zij eenmalig de schenking tot € 22.760,- (2009) verhogen. Uiteraard mogen zij ook een hoger bedrag schenken. Over het meerdere is schenkingsrecht verschuldigd.

Het schenkingsrecht bedraagt een percentage van het bedrag dat uw ouders schenken. Hoe groter het bedrag, hoe hoger het percentage wordt. Het tarief tussen ouders en kinderen begint bij 5% en kan oplopen tot maximaal 27%. Omdat het tarief hoger wordt naarmate het bedrag van de schenking stijgt, kan het aantrekkelijk zijn om bij een relatief grote schenking, dit in kleinere bedragen over een aantal jaar te verdelen. De uiteindelijk verschuldigde schenkingsrechten kunnen dan aanmerkelijk lager uitkomen.

U koopt het huis samen

Als uw ouders bijvoorbeeld de ene helft van het huis kopen en u de andere helft, hoeft u het huis ook maar voor de helft te financieren. Er zitten wel fiscale haken en ogen aan deze oplossing.
De eigenwoningregeling van de inkomstenbelasting is wel van toepassing op het deel dat u koopt. De hypotheekrente over dit deel is dus volledig aftrekbaar en u hoeft maar voor de helft het eigenwoningforfait op te geven. Voor uw ouders is het minder gunstig. Hun deel van het huis valt niet onder de eigenwoningregeling. Daarom valt hun gedeelte van de woning en de eventuele hypotheek die hierop rust in box 3. In §8.1 staat een algemene uitleg over het boxenstelsel.

Renteloze lening

Als uw ouders geen rente vragen over het bedrag dat zij aan u lenen, ziet de Belastingdienst de niet verschuldigde rente als een schenking van uw ouders aan u. U moet schenkingsrecht over de niet-verschuldigde rente betalen. Hierop geldt een uitzondering wanneer de lening direct opeisbaar is. Dit betekent dat u hetzelfde bedrag bij een geldverstrekker kunt lenen.
Dit moet u kunnen aantonen aan de hand van offertes van geldverstrekkers. Het is daarom verstandig om enkele offertes te bewaren. Alleen dan is er geen sprake van een schenking van rente.
Let op: het kan voordeliger zijn om wél rente te betalen als uw ouders u daarnaast (een deel van) de rente schenken. De rente moet wel daadwerkelijk betaald worden.

Uw ouders kopen het huis voor u

In plaats van mede-eigenaar te worden van uw huis, kunnen uw ouders ook volledig eigenaar worden. U woont dan in een woning die eigendom is van uw ouders.
Zij kunnen de woning dan aan u verhuren of een gebruiksrecht (woonrecht) vestigen voor u. Verhuren uw ouders de woning aan u, dan moeten zij de waarde van de woning in verhuurde staat opgeven in box 3. Ook de eventuele hypotheek op deze woning valt in box 3. U hoeft zelf niets aan te geven. Wordt er een gebruiksrecht gevestigd op de woning, dan valt de woning ook in box 3. Uw ouders moeten dan de waarde van het huis opgeven in box 3. Dit is de vrije verkoopwaarde van de woning min de waarde van

het gebruiksrecht. De waarde van het gebruiksrecht kunt u bepalen aan de hand van de tabel in de toelichting van de aangifte. U moet zelf dan de waarde van het gebruiksrecht opgeven in box 3.

Risico's

Een constructie, waarbij ouders borg staan of eventueel een bepaald bedrag aan u lenen of schenken, brengt extra risico's met zich mee. Een garantstelling, het verstrekken van een lening en het doen van schenkingen beperken namelijk ook de financiële mogelijkheden van uw ouders. Mocht u de hypotheeklasten niet meer kunnen betalen dan lopen uw ouders het risico aangesproken te worden. De bank heeft namelijk als eerste recht op het geld. Ook kan het een rol spelen als uw ouders willen verhuizen naar een andere koopwoning.

Tip

Zorg ervoor dat de schenking of lening duidelijk op papier wordt omschreven. Dit is belangrijk om later problemen tussen uw ouders en uzelf (en mogelijk broers en zussen) te voorkomen.

1.11 Samenvatting

- De eerste stap als u een huis koopt, is bepalen hoeveel u kunt en wilt lenen op basis van uw inkomen en uitgavenpatroon.
- Als het totale aankoopbedrag binnen een bepaalde grens valt, komt u in aanmerking voor Nationale Hypotheek Garantie.
- Starters op de woningmarkt kunnen in sommige gevallen gebruikmaken van de Starterslening of van koopsubsidie.
- Houd bij de bepaling van uw maximale hypotheek rekening met de bijkomende kosten zoals een opstalverzekering en eigenwoningforfait.
- Hebt u eigen geld, dan kunt u overwegen dit in te brengen. Bespreek met een adviseur of dat financieel aantrekkelijk is voor u of niet.
- Het is verstandig om bij het afsluiten van een hypotheek ook rekening te houden met eventuele arbeidsongeschiktheid of werkeloosheid in de toekomst.
- Accepteert u financiële hulp van uw ouders bij de aankoop van een woning, let dan wel op de fiscale regelgeving.

2 Keuze hypotheekvorm

De keuze van de hypotheekvorm is één van de belangrijkste beslissingen die u moet nemen als u een hypotheek gaat afsluiten. Bij de keuze voor een hypotheekvorm of een combinatie van hypotheekvormen spelen de volgende zaken een rol:
- *opbouw vermogen;*
- *leeftijd en gezondheid;*
- *beleggen of sparen;*
- *belastingvoor- en nadelen;*
- *eigen geld.*

2.1 Wel of niet vermogen opbouwen?

Aflossen op uw hypotheek betekent vermogen opbouwen voor de toekomst. Met dit vermogen lost u vroeg of laat uw hypotheek af. Uw vermogen zit dan in uw huis. Met het aflossen van de hypotheek dalen uw maandlasten. Het is de vraag of u het nodig vindt om vermogen op te bouwen en of u het nodig vindt dat uw maandlasten in de toekomst lager worden. Wat zijn de voor- en nadelen van aflossen?

Voordelen
- U bent minder kwetsbaar voor waardedalingen van het huis.
- U bouwt vermogen op.
- Na aflossing van uw hypotheek zit het vermogen in uw woning. Omdat uw eigen woning in box 1 valt, betaalt u geen vermogensrendementsheffing.
- U wordt niet geconfronteerd met een stijging van uw lasten door het vervallen van de renteaftrek na dertig jaar. Deze stijging kan minder zwaar wegen door de inflatie.
- Als de hypotheek eenmaal is afgelost, hebt u geen hypotheeklasten meer waardoor u elke maand meer financiële ruimte hebt.
- Door de invoering van de 'Wet Hillen' betaalt u als u geen of een kleine eigenwoningschuld hebt geen belasting meer over de eigen woning. Aflossen op uw hypotheek kan dus betekenen dat u geen inkomstenbelasting meer betaalt over de eigen woning. (Zie §8.2 voor meer informatie over de fiscale aspecten van aflossen.)

Nadelen
- Wanneer u aflost, hebt u een hogere maandlast. Want naast rente betaalt u premie of aflossing.
- U beschikt niet meer vrijelijk over uw geld zodra u hebt afgelost. Uw geld zit uiteindelijk in uw huis. Om te beschikken over dat vermogen, moet u het eerst vrijmaken uit het huis. Hiervoor moet u dan een hypotheek afsluiten of verhuizen naar een huurhuis.
- Indien u de bedragen, die u op uw lening hebt afgelost, weer wilt opnemen, kunt u te maken krijgen met bijkomende kosten zoals taxatiekosten, afsluitprovisie, administratiekosten en soms ook notariskosten. Daarnaast is het mogelijk dat uw adviseur op uurtarief werkt, waardoor u nog een extra rekening krijgt voor de gemaakte uren.
- Lost u binnen dertig jaar af, dan verliest u (een deel van) uw renteaftrek.
- Aflossen op uw hypotheek heeft tot gevolg dat uw overwaarde toeneemt.

De bijleenregeling zorgt ervoor dat u bij een eventuele verhuizing niet geheel vrij over deze overwaarde kunt beschikken. Zie §8.2 en 8.4 voor nadere uitleg.

Andere overwegingen

Andere overwegingen die een rol kunnen spelen bij uw keuze zijn:
- fiscale overwegingen, zoals het hebben van een bestaande levensverzekering;
- het beschikken over eigen geld;
- uw leeftijd;
- uw burgerlijke staat;
- uw gezondheid.

Met de volgende hypotheekvormen bouwt u vermogen op:
- annuïteitenhypotheek;
- lineaire hypotheek;
- spaarhypotheek;
- spaarbeleggingshypotheek;
- beleggingshypotheek;
- bankspaarhypotheek.

2 2 Leeftijd en gezondheid

Bij de keuze voor een bepaalde hypotheekvorm spelen uw leeftijd en gezondheid op drie manieren een rol:
- Ten eerste moet u zich afvragen hoe oud u bent op het moment dat uw hypotheekrenteaftrek vervalt na dertig jaar. Is de hypotheek voor 1 januari 2001 afgesloten dan vervalt daarvoor de hypotheekrenteaftrek op 1 januari 2031. Woont u als de hypotheekrenteaftrek vervalt nog steeds in een eigen huis?
- Ten tweede moet u zich afvragen of uw hypotheek nog te betalen is als u met pensioen gaat (of met pre-pensioen).
- Ten derde spelen uw leeftijd en gezondheid een rol bij het afsluiten van een levensverzekering en/of overlijdensrisicoverzekering, die vaak verplicht is bij het afsluiten van een hypotheek. Hoe ouder u bent, hoe minder makkelijk u in aanmerking komt voor een bancaire spaar- of beleggingshypotheek, een spaarhypotheek, een spaarbeleggingshypotheek of een beleggingshypotheek met een overlijdensrisicoverzekering. Dit geldt ook als u gezondheidsproblemen hebt.

U bent jonger dan 35 jaar

Bent u jonger dan 35 jaar dan is de kans groot dat u over dertig jaar nog steeds in een eigen woning woont. U bent tegen die tijd niet ouder dan 65 jaar en uw eigen wooncarrière zit er waarschijnlijk nog lang niet op. Met andere woorden: als u niet zou aflossen binnen die dertig jaar, dan loopt de hypotheek gewoon door. Of u nu in de tussentijd verhuisd bent naar een ander koophuis of niet. Na dertig jaar vervalt de renteaftrek, waardoor uw maandlast stijgt, hoewel inflatie dit effect kan verzachten. Een hypotheek waarop u (uiteindelijk) aflost, verdient daarom de voorkeur. U kunt eventueel kiezen voor een combinatie met een aflossingsvrije hypotheek om uw maandlasten niet te hoog te laten worden. Het is raadzaam af te lossen, zodra uw inkomen of vermogen toereikend is geworden. Dat kan tijdens de looptijd, maar ook ineens aan het einde van de looptijd.

U bent tussen de 35 en 50 jaar

Hoe groot is de kans dat u over dertig jaar in een eigen woning woont (of al eerder bij een lopende hypotheek)? Als die kans groot is, dan is het raadzaam om in ieder geval op het moment dat de hypotheekrenteaftrek vervalt de hypotheek (deels) af te lossen. Misschien is het zelfs verstandig om al eerder (een deel) af te lossen in verband met pensionering. Over het algemeen daalt het inkomen bij pensionering, waardoor een lager belastingtarief van toepassing kan zijn. Dat kan gunstig zijn voor uw netto inkomen, omdat u minder belasting betaalt, maar ongunstig voor uw hypotheeklast. Als u niet (een gedeelte) aflost, krijgt u over de betaalde rente minder belasting terug. Het gevolg is dan dat de netto hypotheeklast stijgt.

U bent ouder dan 50 jaar

De kans dat u over dertig jaar (of al eerder bij een lopende hypotheek) te maken krijgt met het wegvallen van de renteaftrek is klein. Waarschijnlijk bent u tegen die tijd verhuisd naar een kleinere en goedkopere koop- of huurwoning. De hypotheek lost u dan bij de verhuizing (gedeeltelijk) af. In deze leeftijdscategorie is het over het algemeen verstandig om een zo groot mogelijk deel aflossingsvrij te nemen. U hebt dan lage maandlasten en daardoor extra financiële armslag voor het doen van overige uitgaven. Houd bij uw keuze wel rekening met uw pensionering. Op dat moment daalt uw inkomen waardoor een lager belastingtarief van toepassing kan zijn. Dat kan gunstig zijn voor uw netto inkomen, omdat u minder belasting betaalt; maar het kan ongunstig zijn voor uw hypotheeklast, omdat u dan ook minder belasting terugkrijgt van de betaalde hypotheekrente.

Een hypotheek op basis van een nieuwe levensverzekering is vanaf zestigjarige leeftijd over het algemeen niet meer mogelijk. Als dat toch kan, dan is de premie voor de ingebouwde overlijdensrisicoverzekering hoog. U kunt dat wellicht omzeilen door een hypotheek af te sluiten met een zo klein mogelijke overlijdensrisicodekking. Ook

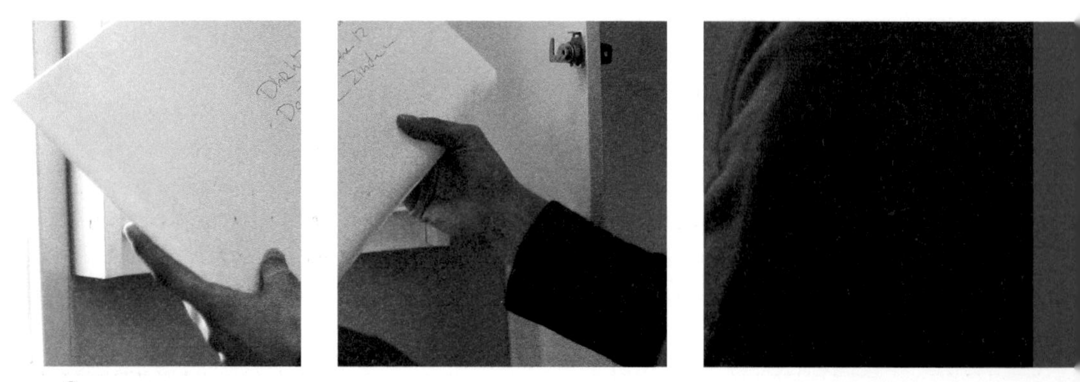

kunt u te maken krijgen met een looptijd van korter dan dertig jaar, waardoor u binnen een kortere periode het hypotheekbedrag bij elkaar moet sparen of beleggen. Dat alles maakt hypotheekvormen op basis van levensverzekeringen duur, zo niet onmogelijk.

Levensverzekering

Ouderen én alleenstaanden hebben vaak minder behoefte om zich tegen overlijden te verzekeren. Bovendien kunnen ouderen zich vaak niet meer verzekeren of alleen tegen een hoge premie.
Dat geldt ook voor jongere mensen met een minder goede gezondheid. Problemen kunnen ontstaan als de geldverstrekker wél een overlijdensrisicoverzekering eist. Dat is vaak het geval voor het leningdeel hoger dan 65 - 85% van de vrije verkoopwaarde van het huis (bij leningen met Nationale Hypotheek Garantie voor het leningdeel hoger dan 80% van de waarde van de woning). Mocht u daarmee te maken krijgen, informeer dan bij uw adviseur naar de mogelijkheden van hypotheekvormen met een lage of helemaal geen overlijdensrisicoverzekering.
Bij hypotheken op basis van een levensverzekering kan soms volstaan worden met een risicodekking van 90 of 110% van de opgebouwde waarde.

Op *www.eigenhuis.nl/wegwijzerhypotheekvoorwaardenextra* vindt u een totaaloverzicht van de verschillende hypotheekproducten met een minimaal verplichte overlijdensrisicoverzekering.

Levensverzekering

Een levensverzekering is een verzekering die bij het op een bepaalde datum al dan niet in leven zijn van de verzekerde tot uitkering komt. Er zijn verschillende soorten levensverzekeringen. De belangrijkste verschillen zitten in de manier van uitkeren (eenmalig of periodiek) en het tijdstip van uitkeren (bij leven of bij overlijden).

- *Een verzekering bij overlijden*: deze overlijdensrisicoverzekering keert het verzekerde bedrag uit als de verzekerde voor een bepaalde datum overlijdt. Als de verzekerde op die datum in leven is, komt de verzekering niet tot uitkering.
- *Een verzekering bij leven*: deze verzekering keert een bedrag uit alleen bij het in leven zijn van de verzekerde op een bepaalde datum. Is de verzekerde voor die datum overleden, komt de verzekering niet tot uitkering. Bij deze verzekering wordt vermogen opgebouwd.
- *Een gemengde verzekering*: deze verzekering, ook wel kapitaalverzekering genoemd, is een combinatie tussen een verzekering bij leven en een overlijdensrisicoverzekering. Deze verzekering komt altijd tot uitkering, of als de verzekerde overlijdt voor een bepaalde datum of als de verzekerde op die datum in leven is.

De volgende hypotheekvormen zijn voor u mogelijk interessant als u minder gezond bent of ouder dan vijftig jaar:

- annuïteitenhypotheek;
- aflossingsvrije hypotheek;
- kredietypotheek;
- lineaire hypotheek;
- bancaire spaar- of beleggingshypotheek.

Let op: het kan zijn dat de geldverstrekker wel een overlijdensrisicoverzekering eist in combinatie met bijvoorbeeld een bancaire spaar- of beleggingshypotheek.

2.3 Wel of niet beleggen?

Wilt u of kunt u beleggingsrisico lopen voor het aflossen van de hypotheek, waardoor u van tevoren niet weet of de schuld uiteindelijk wordt afgelost? Niet iedereen wil of kan dat risico lopen.

Risico kunnen lopen

Bij beleggingshypotheken loopt u risico. In ruil daarvoor kunt u, als het meezit, een hoger rendement halen dan bijvoorbeeld het geval is bij de spaarhypotheek. Als eigenaar van een woning loopt u echter al risico ten aanzien van de waarde van uw woning. Door te beleggen verdubbelt u eigenlijk uw risico. Dat moet u dan wel financieel en emotioneel kunnen opvangen.

Beleggen is te overwegen als u rekening houdt met het volgende:

- Uw financiële draagvlak is voldoende om tegenvallende resultaten op te kunnen vangen. Bij tegenvallende resultaten kunt u na dertig jaar met een restschuld geconfronteerd worden of u moet eventueel tussentijds bijstorten (hogere lasten dus).
- U ligt niet wakker als de koersen (tijdelijk) onderuit gaan, waardoor u tienduizenden euro's (vermogenswinst) inlevert. Dit is geen aanleiding voor u om aandelen snel te verkopen. U kunt ook emotioneel tegen een stootje en hebt niet zo'n behoefte om de koers van uw beleggingen dagelijks te volgen.
- U verwacht dat u op lange termijn met beleggen een hoger rendement behaalt dan met een spaarhypotheek. Het heeft anders geen zin om extra risico te lopen. Als u belegt, hebt u te maken met (beleggings)kosten zoals aan- en verkoopkosten en beheerkosten. Er gaat al snel 2% of meer rendement verloren aan beleggings- en verzekeringskosten. U kunt uitgaan van de actuele rente van de (bancaire) spaarhypotheek of de spaarvariant van de spaarbeleggingshypotheek. Als u hier de hiervoor genoemde 2% aan kosten bijtelt, weet u wat u minimaal als gemiddeld rendement moet halen, wil het aantrekkelijk zijn.

Bij de volgende hypotheekvormen bouwt u vermogen op door te beleggen:
- beleggingshypotheek met een verzekering;
- beleggingshypotheek met losse beleggingen;
- beleggingsvariant van de spaarbeleggingshypotheek;
- beleggingsvariant van de bankspaarhypotheek.

Wet op het financieel toezicht

De Wet op het financieel toezicht (Wft) hanteert strenge criteria en gedragsregels voor productaanbieders en hun adviseurs. De toezichthouder van de wet is de Autoriteit Financiële Markten (*www.afm.nl*). Voordat u een hypotheek afsluit, moet er een klantprofiel plus risicoprofiel met u worden opgemaakt. Dit gebeurt veelal via een vragenlijst waarin uw financiële situatie, uw wensen, uw risicobereidheid en het doel van het advies worden vastgelegd.
Vraag altijd om een kopie hiervan. Bij eventuele onduidelijkheden of problemen achteraf zijn het klant- en risicoprofiel het eerste aanknopingspunt. De offerte moet aansluiten op de berekening die u hebt ontvangen en alle basisgegevens moeten worden genoemd. In §5.4 staat beschreven hoe een offerte eruit hoort te zien. Verder moet u bij de offerte ook de algemene voorwaarden van elk product ontvangen (lening, verzekering en/of beleggingsfondsen).
Vraag altijd om de Financiële Bijsluiter van elk (financieel complex) product dat u koopt. Hierin staat wat het product precies is en wat het kost, wat de risico's zijn, wat het opbrengt, en wat er gebeurt als u eerder wilt stoppen met het product. Dit alles staat op twee overzichtelijke A4'tjes. De Financiële Bijsluiter moet ook op de internetsite van de aanbieder van het product beschikbaar zijn. Vanaf 1 januari 2009 moet de adviseur of aanbieder u vertellen wat hij verdient aan de hypotheek en aanverwante producten. Dit wordt provisietransparantie genoemd. Dit bedrag kunt u ook terugvinden in de offerte.

2.4 Uw hypotheek en fiscale regels

Uit fiscaal oogpunt is het in de meeste gevallen voordelig om niet af te lossen op de lening voor het dertigste jaar, maar wel vermogen op te bouwen om na dertig jaar de hypotheek in één keer af te kunnen lossen. Globaal gezegd kunt u vermogen vormen binnen een levensverzekeringsconstructie of daarbuiten.

- Binnen een verzekeringsconstructie en bij bankspaarproducten (zie §2.7) kunt u gebruikmaken van fiscale vrijstellingen. Maar dat gaat ten koste van uw flexibiliteit.
- Het geld staat namelijk gedurende een zeer lange periode op een geblokkeerde rekening en u kunt het geld alleen gebruiken voor de aflossing van uw eigenwoningschuld.
- Als u buiten de producten met de fiscale vrijstellingen om vermogen wilt opbouwen of behouden, hebt u meer vrijheid, maar in ruil daarvoor betaalt u belasting. Hoe die fiscale regels precies werken staat in §8.5 en 8.6.

Bij de volgende hypotheekvormen kunt u belastingvrij vermogen opbouwen (in box 1):
- spaarhypotheek;
- beleggingshypotheek met een verzekering;
- spaarbeleggingshypotheek;
- bankspaarhypotheek.

Bij de volgende hypotheekvormen bent u flexibeler, maar hebt u minder belastingvoordeel:
- annuïteitenhypotheek;
- beleggingshypotheek met losse beleggingen;
- spaarhypotheek met de levensverzekering in box 3 (afgesloten na 14-09-1999);
- spaarbeleggingshypotheek met de levensverzekering in box 3 (afgesloten na 14-09-1999).

Bij de twee laatste mogelijkheden weegt de fiscale flexibiliteit in de regel niet op tegen het fiscale nadeel dat daar tegenover staat. Alles over de fiscale voor- en nadelen van de verschillende hypotheekvormen vindt u in hoofdstuk 8.

2.5 Eigen geld

Als u over eigen geld beschikt, kunt u dit gebruiken om uw hypotheeksom te verlagen. Afhankelijk van uw hypotheekvorm hebt u een aantal mogelijkheden.

Extra premie

U kunt extra premie storten in een aan de hypotheek verbonden levensverzekering, bijvoorbeeld de verzekering van:
- de spaarhypotheek of de spaarvariant van de spaarbeleggingshypotheek. U spaart dan belastingvrij tegen de hypotheekrente van uw lening. In §2.7 wordt de werking van de spaarhypotheek nader uitgelegd. Door extra premie te storten spaart u versneld, waardoor u kunt kiezen voor een kortere looptijd of een lagere maandelijkse spaarpremie. U moet wel blijven voldoen aan de fiscale regels, zoals de premie verhouding van 1:10.
- de beleggingshypotheek of de beleggingsvariant van de spaarbeleggingshypotheek. Afhankelijk van het eindkapitaal dat u wenst te bereiken, kan uw maandelijkse inleg al dan niet worden aangepast. Wees voorzichtig met het extra premiestorten. Indien het kapitaal op einddatum hoger is dan het totale hypotheekbedrag, het rentebestanddeel in het bedrag dat u meer ontvangt belast, als u de polis in box 1 hebt geplaatst. Houd

dus goed de ontwikkeling van uw beleggingssaldo in de gaten. Ook moet u wel blijven voldoen aan de fiscale regels, zoals de premie verhouding van 1:10.

Bandbreedte en premieverhouding

Bij het storten van premies wordt vaak gesproken over een bandbreedte of een premieverhouding van 1 staat tot 10. Hiermee wordt bedoeld dat de hoogste premie die wordt gestort nooit hoger mag zijn dan 10 keer de laagste premie die wordt gestort. Als in een bepaald jaar de laagste premie € 1.000,- is, dan mag de hoogste jaarpremie niet meer bedragen dan € 10.000,-. Zie ook §8.5.

Een extra premiestorting(en) kunt u ook doen door bij aanvang eenmalig een bedrag in te leggen of door te kiezen voor een premiedepot (zie de volgende alinea).
Let op: bij voortijdig overlijden is het mogelijk dat u de extra premiestorting kwijt bent, omdat bij overlijden een bedrag wordt uitgekeerd dat bij het afsluiten van de verzekering is vastgesteld. Hierbij is geen rekening gehouden met de effecten van een extra premiestorting.

Premiedepot

Het is ook mogelijk om aan het begin van de looptijd van uw hypotheek alle toekomstig te betalen premies in één keer te storten in een zogenaamd premiedepot. Uit dit depot worden gedurende de looptijd zo lang mogelijk uw maandelijkse premies betaald. U krijgt over het depotbedrag rente vergoed. Het rentepercentage verschilt per geldverstrekker: van hypotheekrente verminderd met circa 1,5% tot een vergoeding die afhankelijk is van nog onbekende beleggingsresultaten. In de beginjaren vinden dan vaak hogere premiestortingen in de verzekering plaats, waarbij de maximale premieverhouding tussen de hoogste en de laagste jaarpremie 10:1 moet zijn.

Aanvangsstorting beleggingsfonds

Als u kiest voor een hypotheek waarbij u rechtstreeks belegt in een beleggingsfonds (dus zonder een daaraan gekoppelde levensverzekering), kunt u ervoor kiezen met uw eigen geld een aanvangsstorting te doen. Hierdoor kan uw vervolgpremie lager worden of zelfs nihil.

Aanvangsstorting bankspaarhypotheek

U kunt een aanvangsstorting doen bij de bankspaarhypotheek. Daardoor kunnen de vervolgstortingen lager worden. U moet wel voldoen aan de fiscale regels, zoals de 1:10 verhouding. Houd bij alle mogelijkheden rekening met eventuele fiscale consequenties.

Kiest u voor één van bovengenoemde mogelijkheden, dan kan dat nadelen hebben ten opzichte van het verlagen van de hypotheek met het eigen geld.

- U kunt te maken krijgen met een topopslag op de rente als u uw eigen geld gebruikt voor een extra premiestorting. U kiest dan namelijk voor een hogere geldlening in plaats van het verlagen van uw hypotheeksom met uw eigen geld.
- Daarnaast hebt u bij een hogere geldlening wellicht ook een hogere overlijdensrisicoverzekering nodig. Daar staat tegenover dat u, ondanks het feit dat u een hogere lening afsluit, bij de hierboven beschreven alternatieven waarschijnlijk lagere maandlasten zult hebben.

Aan de andere kant is er een groot voordeel. Als u alle toekomstige premies betaalt via een premiedepot, bestaat uw maandlast alleen uit rente. Dit heeft tot gevolg dat uw netto maandlasten in ieder geval gedurende de eerste rentevaste periode lager zullen zijn dan wanneer u uw eigen geld gebruikt om uw hypotheek te verlagen.

Houd wel de renteontwikkeling in de gaten. Als er na de eerste rentevaste periode een (forse) rentestijging plaatsvindt, worden de netto maandlasten (een stuk) hoger dan zonder een premiedepot. Het is dan verstandig om goed na te gaan of u dan nog aan de fiscale regel voldoet in verband met het premiestorten in de verhouding 1:10 (voor een nadere uitleg zie §8.5).

Mogelijkheden om goed binnen deze bandbreedte te blijven zijn:
- inkorten van de looptijd als u buiten de bandbreedte gaat komen;
- bij aanvang de rente lang vastzetten (liefst twintig jaar);
- bij aanvang niet binnen 1:10 premie storten, maar binnen een lagere verhouding.

2.6 Overige overwegingen

Inflatie

Ook met inflatie tijdens de looptijd van de hypotheek kunt u rekening houden. Inflatie houdt in dat u met de huidige euro meer kunt kopen dan met een euro over dertig jaar. Wilt u de inflatie mee laten tellen in de berekening van de maandlasten, dan is een inflatiepercentage van 2% - 2,5% een reëel getal.

Hypotheekvorm en inflatie

De maandlasten van een hypotheek zullen doorgaans bij aanvang voor een langere periode bekend zijn. Echter, de hoogte van de netto maandelijkse lasten verschilt per hypotheekvorm.
- Bij een lineaire hypotheek zijn juist bij aanvang de maandelijkse lasten hoog en nemen vervolgens evenredig af.
- Bij een annuïteitenhypotheek zijn juist bij aanvang de maandelijkse lasten laag en nemen vervolgens steeds meer toe.
- Bij een spaar- en/of beleggingshypotheek en bij de bankspaarhypotheek blijven de lasten gedurende de gehele looptijd in principe gelijk.

Het bovenstaande geldt alleen bij een ongewijzigde rente en inkomen. Bij het doorrekenen welke hypotheekvorm het goedkoopste is, komt de spaar- en/of beleggingshypotheek en de bankspaarhypotheek in de meeste situaties als meest voordelige hypotheekvorm uit de bus, ongeacht of er rekening wordt gehouden met inflatie of niet.

Bij de volgende hypotheekvormen profiteert u optimaal van de inflatie:
- aflossingsvrije hypotheek;
- spaarhypotheek;
- spaarbeleggingshypotheek;
- beleggingshypotheek;
- bankspaarhypotheek.

Gebruikmaken van een lopende levensverzekering

Hebt u al een levensverzekering lopen, dan kunt u deze in principe koppelen aan een hypothecaire geldlening. Dit hoeft niet bij dezelfde financiële instelling te zijn. Let er dan wel op of uw doelkapitaal nog voldoende is. Wanneer u bijvoorbeeld verhuist naar een duurdere woning, kan het huidige doelkapitaal te laag zijn en moet er een aanvulling komen voor de opbouw van het vermogen en/of de risicoverzekering.

27 De hypotheekvormen op een rij

Nu u weet welke overwegingen een rol spelen bij de keuze voor een hypotheekvorm, wordt het tijd om stil te staan bij de exacte werking van de diverse hypotheekvormen. In het kader aan het eind van deze paragraaf zijn de hypotheekvormen op basis van hun kenmerken ingedeeld. Dit zijn:

- aflossingsvrije hypotheek;
- krediethypotheek;
- spaarhypotheek;
- bankspaarhypotheek;
- beleggingshypotheek;
- spaarbeleggingshypotheek;
- traditionele levenhypotheek;
- annuïteitenhypotheek;
- lineaire hypotheek.

Aflossingsvrije hypotheek

Bij een aflossingsvrije hypotheek hebt u de laagste maandlasten ten opzichte van alle andere hypotheekvormen, omdat u alleen rente betaalt. De aflossing wordt uitgesteld tot het einde van de looptijd van de hypotheek of totdat u verhuist. Bij verhuizing lost u de lening af uit de verkoopopbrengst van het huis. Koopt u aansluitend een ander huis, dan sluit u een nieuwe lening af.
Bij overlijden loopt de hypotheek gewoon door, omdat deze overgaat op de erfgenamen. Als u een losse overlijdensrisicoverzekering hebt afgesloten, kunnen uw erfgenamen de uitkering gebruiken om de hypotheek (deels) af te lossen. Geldverstrekkers verstrekken deze aflossingsvrije hypotheek meestal tot 75 - 100% van de executiewaarde van het huis: oftewel tot circa 65 - 85% van de vrije verkoopwaarde. De rest (15 - 35% plus de bijkomende 'kosten koper') kunt u met een andere hypotheekvorm financieren waarbij u wel aflost, of zult u met eigen geld moeten financieren. Let op: leent u met NHG, houdt u er dan rekening mee dat u maximaal 50% van de waarde van de woning aflossingsvrij kunt financieren.

Krediethypotheek

Kenmerkend voor de krediethypotheek is dat u bij aanvang een kredietlimiet afspreekt. Daarover betaalt u over het algemeen alleen bij aanvang afsluitprovisie. Deze limiet ligt meestal bij maximaal 75% van de executiewaarde van het huis en is mede afhankelijk van uw inkomen.
U kunt geld opnemen tot aan de limiet: zonder dat u bij elke nieuwe opname naar de notaris hoeft, zonder dat uw inkomen opnieuw wordt getoetst en zonder dat dit aanleiding is uw huis opnieuw te taxeren. Lost u op een krediethypotheek af, dan kunt u de aflossing later altijd weer opnemen. Een beperking van de krediethypotheek is dat u meestal alleen voor een variabele rente kunt kiezen en dat u deze niet kunt vastzetten voor een langere periode.

Let op: wanneer het opgenomen bedrag niet gebruikt wordt voor verbetering van de eigen woning, dan is de rente niet aftrekbaar in box 1.

Voorbeeld krediethypotheek

U bent 65 jaar en wilt graag een aanvulling op uw pensioen. Hebt u genoeg overwaarde in uw woning, dan kunt u een krediethypotheek afsluiten. Bij het afsluiten spreekt u een limiet af met de geldverstrekker (meestal maximaal 65% van de vrije verkoopwaarde). U kunt vervolgens maandelijks of jaarlijks een bedrag opnemen totdat de limiet is bereikt.
Dit bedrag is dan een aanvulling op uw pensioen.
Let er wel op dat u ook rente moet betalen over het opgenomen bedrag. Omdat u het geld gebruikt als aanvulling op uw pensioen is de rente niet aftrekbaar in box 1.

Groene hypotheken

Een bijzondere hypotheekvariant is de groene hypotheek. Een groene hypotheek houdt in dat u geld kunt lenen voor een periode van maximaal tien jaar tegen een rente die ongeveer 1% onder de marktrente ligt. Er is een maximum van € 34.034,- verbonden aan het hypotheekbedrag. De groene hypotheek wordt daarom gecombineerd met een gewone hypotheek. Naast de groene hypotheek voor nieuwbouw bestaat sinds juli 2008 de mogelijkheid van woningverbetering bij bestaande bouw door de eigenaar-bewoner. In deze situatie variëren de maximale bedragen van de groene lening tussen de € 25.000,- en € 100.000,- afhankelijk van de energiebesparing die wordt gerealiseerd.

U kunt alleen een groene hypotheek krijgen als er een groenverklaring is afgegeven voor de bouw of renovatie van uw woning. Een bank met een groenfonds vraagt de groenverklaring aan bij SenterNovem of bij de Dienst Regeling. Zij beoordelen namens VROM of de groenverklaring afgegeven kan worden. Op *www.senternovem.nl/groenbeleggen* vindt u meer informatie.

Spaarhypotheek

Een spaarhypotheek is een lening gecombineerd met een levensverzekering. De levensverzekering kan op twee momenten tot uitkering komen.

- Aan het einde van de looptijd komt het bij elkaar gespaarde bedrag tot uitkering. Hier betaalt u een spaarpremie voor. Met dit gespaarde bedrag kunt u in een keer uw hypotheek aflossen.
- Tijdens de looptijd kan het verzekerde bedrag tot uitkering komen bij het overlijden van de verzekerde persoon. Hiervoor betaalt u een overlijdensrisicopremie.

Naast de premie betaalt u maandelijks rente. U spaart altijd precies de schuld bij elkaar. Kenmerkend is dat de rente over het spaarkapitaal (de spaarpot) altijd even hoog is als uw hypotheekrente. Zet u bijvoorbeeld de hypotheekrente voor tien jaar vast tegen 6%, dan spaart u de komende tien jaar ook tegen 6%. Het resultaat is dat een spaarhypotheek wat betreft vermogensopbouw exact hetzelfde is als een annuïteitenhypotheek, alleen lost u daarbij maandelijks rechtstreeks op de lening af.

Een spaarhypotheek heeft één belangrijk voordeel ten opzichte van een annuïteitenhypotheek. Omdat u niet rechtstreeks aflost op uw hypotheek, profiteert u maximaal van de hypotheekrenteaftrek.

Een tweede voordeel is dat uw hypotheeklasten enigszins zijn afgevlakt voor rentewijzigingen, omdat uw spaarrente is gekoppeld aan de hypotheekrente: de zogenaamde rentedempende werking. Stijgt de rente bijvoorbeeld na tien jaar van 6% naar 10%, dan stijgt uw spaarrente mee. En als u meer spaarrente krijgt, hoeft u zelf minder spaarpremie te betalen voor de levensverzekering. In dit geval stijgt uw (aftrekbare) rentelast en daalt uw (niet aftrekbare) premie. Door deze premiedaling is de stijging van uw maandlast gedempt. Let op, dit werkt ook de andere kant op: als de hypotheekrente na tien jaar 5% is, daalt uw spaarrente van 6% naar 5%, waardoor u juist méér spaarpremie moet gaan betalen en u dus minder profiteert van de rentedaling.

Het nadeel van de spaarhypotheek is dat u rekening moet houden met fiscale eisen van de daaraan verbonden levensverzekering. Wat deze eisen zijn kunt u nalezen in §8.5.

Wanneer geen spaarhypotheek?

- Als u moeilijk een levensverzekering kunt afsluiten in verband met uw gezondheid.
- Als u ouder bent dan 50 jaar.
- Als u plannen hebt om te emigreren naar het buitenland.

U kunt in deze gevallen beter kiezen voor bijvoorbeeld een annuïteitenhypotheek.

Komt u voor de einddatum van uw hypotheek te overlijden, dan komt de ingebouwde overlijdensrisicoverzekering tot uitkering. Het is over het algemeen van belang dat u, op het moment van afsluiten, in goede gezondheid verkeert en jonger bent dan vijftig jaar.

Als u de levensverzekering voortijdig beëindigt en uw spaarpot uit laat keren (afkopen), krijgt u altijd gegarandeerd uw spaarinleg terug plus de rente daarover. Er worden normaal gesproken geen afkoopkosten in rekening gebracht. Het kan wel zijn dat u nog met de Belastingdienst moet afrekenen als u niet aan de fiscale regels voldoet.

Bij verhuizing lost u de hypotheek af uit de verkoopopbrengst van het huis. Koopt u een ander huis, dan kunt u bij de meeste geldverstrekkers de levensverzekering en het daarin opgebouwde vermogen meenemen en aan de nieuwe hypotheek bij uw huidige geldverstrekker koppelen.

Spaarhypotheek

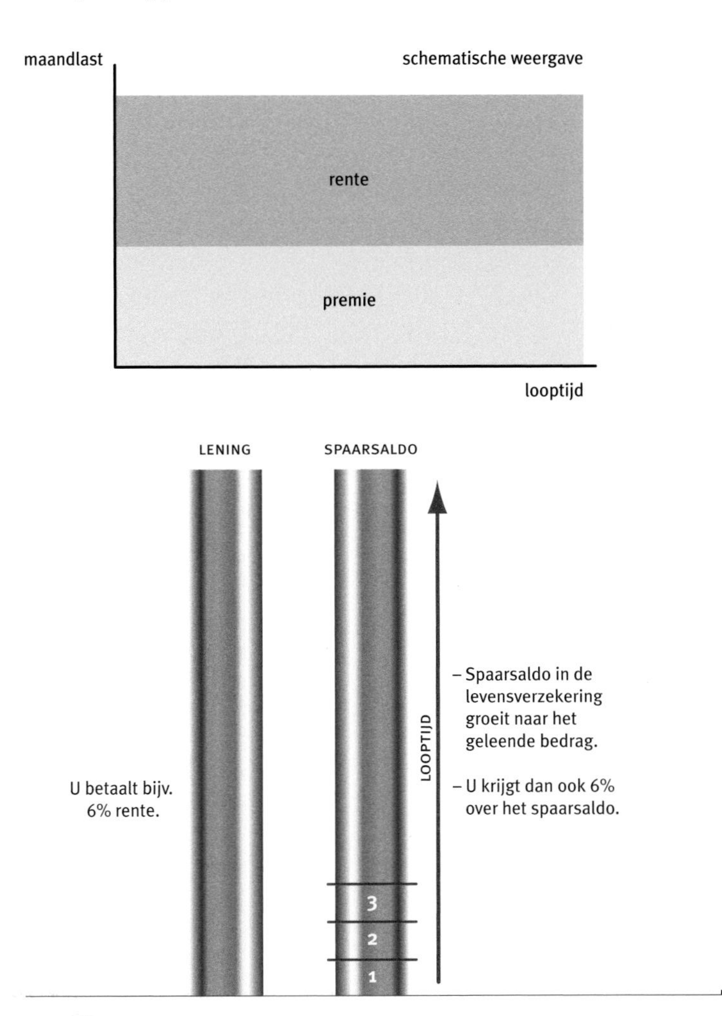

Banksparen

Met banksparen spaart of belegt u voor de aflossing van de hypotheek. Dit doet u met een Spaarrekening Eigen Woning (SEW) of een Beleggingsrecht Eigen Woning (BEW). Dit sparen of beleggen doet u niet via een gekoppelde verzekering, maar via een gekoppelde bankrekening. Wel gelden dezelfde fiscale regels voor een belastingvrije uitkering als bij een spaarhypotheek. De overlijdensrisicoverzekering kunt u apart afsluiten. Dit maakt het banksparen doorzichtiger.
Een ander verschil tussen de verzekering en de bankrekening is dat de kosten bij de bankrekening zijn uitgesmeerd over de hele looptijd. Bij de verzekering zitten de kosten meestal in de eerste 10 jaar. Voor u betekent dit, dat als u na bijvoorbeeld zeven jaar van product wilt veranderen (bijvoorbeeld wegens verhuizing of oversluiten van de hypotheek), u een aanmerkelijk hogere opgebouwde waarde tegemoet kunt zien dan bij een vergelijkbare hypotheek op basis van verzekeren.

Sinds de invoering van de Wet Banksparen op 1 januari 2008 zijn er inmiddels verschillende verstrekkers die bankspaarproducten aanbieden, zowel op basis van sparen als op basis van beleggen. De volgende geldverstrekkers hebben een bankspaarproduct:

- ABN AMRO
- Allianz/MNF
- Allianz/WoonNexxt
- Delta Lloyd
- Florius
- Fortis Bank
- Friesland Bank
- MoneYou
- Nationale-Nederlanden
- Rabobank
- SNS Bank
- SNS Regio Bank
- Westland/Utrecht
- Zwitserleven

Op *www.eigenhuis.nl/wegwijzerhypotheekvoorwaardenextra* vindt u een actueel overzicht van geldverstrekkers die een bankspaarproduct aanbieden.

Let op

Wanneer u kiest voor banksparen, informeer dan of u spaart tegen een variabele rente of een rentevergoeding gelijk aan uw hypotheekrente.

Op *www.eigenhuis.nl/banksparen* vindt u een informatieboom die u kan helpen te bepalen of omzetten van uw huidige spaar- of beleggingshypotheek naar het nieuwe banksparen voor u interessant is. Overweegt u een nieuwe hypotheek te sluiten, dring er dan bij uw adviseur op aan ook de bankspaarvormen in het advies te betrekken

Beleggingshypotheek

De constructie van een beleggingshypotheek is vergelijkbaar met die van een spaarhypotheek. U lost niet rechtstreeks af op de hypotheek, maar u belegt om aan het einde van de looptijd met het opgebouwde kapitaal de hypotheek af te lossen.

Dit kan op twee manieren:

- net als de spaarhypotheek via een verzekering;
- rechtstreeks in beleggingsfondsen en/of aandelen, dus buiten een levensverzekering om.

Bij de eerste variant sluit u naast de hypotheek een levensverzekering af waarbij uw premie wordt belegd. De uitkering aan het einde van de looptijd van de verzekering is afhankelijk van de netto beleggingsresultaten. De uitkering bij het tussentijds overlijden van de verzekerde is afhankelijk van de hoogte van het verzekerde kapitaal. Beleggen via deze constructie komt het meest voor. Alleen met deze constructie kunt u profiteren van de fiscale voordelen van belastingbox 1. Wat de fiscale eisen zijn voor het beleggen via een verzekering in box 1 staat in §8.5.

Bij de tweede variant stort u eenmalig bij aanvang of gedurende de looptijd (meestal per maand) een vast bedrag op een beleggingsrekening. Dit bedrag wordt gebruikt voor het aankopen van bijvoorbeeld aandelen, obligaties of beleggingsfondsen. Bij deze beleggingshypotheek kunnen de 'losse' beleggingen alleen in belastingbox 3 vallen. Wat de fiscale regels voor box 3 zijn, staat in §8.5.

Bij deze tweede hypotheekvorm is geen sprake van een ingebouwde verzekering. Deze sluit u apart af. Vaak verplicht de geldverstrekker u hiertoe. Ook als hij dit niet eist, kan het raadzaam zijn; vooral als u er zeker van wilt zijn dat de langstlevende en de eventuele kinderen de hypotheeklasten kunnen blijven betalen. U bent niet verplicht deze overlijdensrisicoverzekering af te sluiten bij de geldverstrekker waar u uw hypotheek afsluit. De premies kunnen onderling verschillen; het is dus vaak de moeite waard verschillende offertes aan te vragen.

Bij beide hypotheekvormen loopt u beleggingsrisico. Het is dus niet zeker dat u de lening in zijn geheel kunt aflossen. Bij een tegenvallend resultaat zit u met een schuldrest. U kunt dit risico beperken door vooral tegen het einde van de looptijd te switchen naar meer veilige beleggingen, bijvoorbeeld staatsobligaties of deposito's. Deze mogelijkheid moet uw beleggingshypotheek dan natuurlijk wel bieden.

Beleggingshypotheek

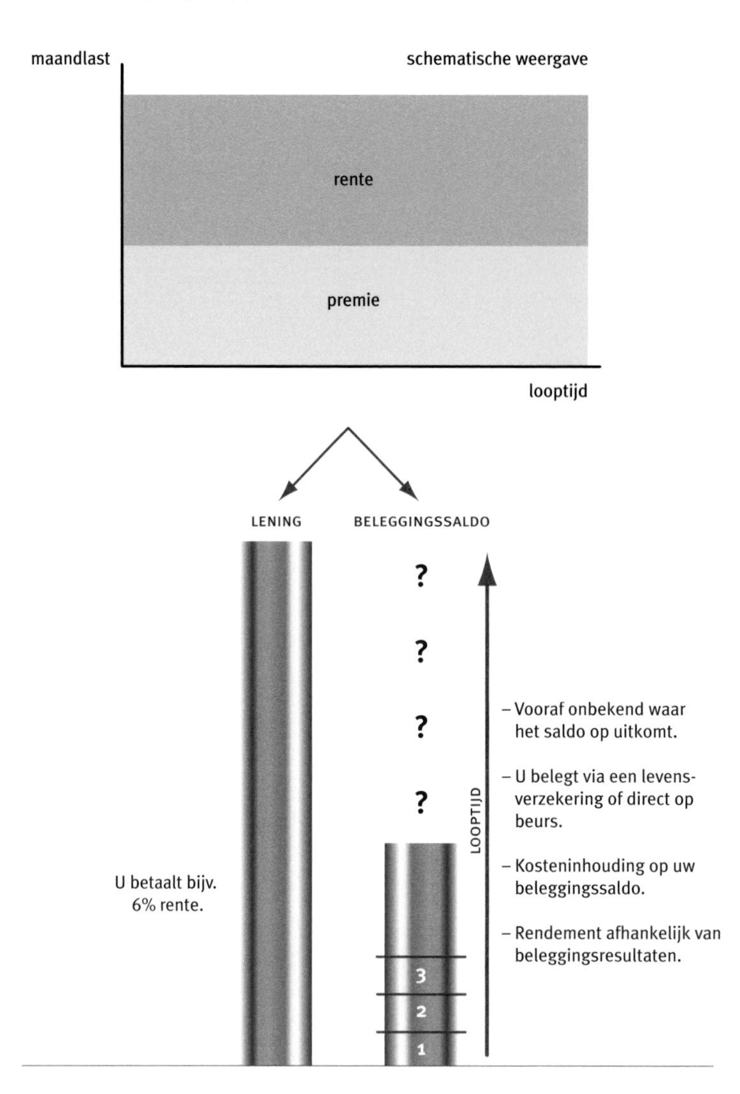

Voor de keuze tussen een beleggingshypotheek met een beleggingsrekening in box 3 en een beleggingshypotheek met een verzekering in box 1 maakt u een afweging tussen enerzijds de fiscale voordelen van box 1 en de grotere flexibiliteit van box 3. Wat de verschillen tussen box 1 en box 3 zijn kunt u nalezen in §8.1. Daarnaast hebt u bij een beleggingsverzekering te maken met verzekeringskosten die ten koste gaan van het rendement van uw beleggingen. In model 3 van de financiële bijsluiter kunt u deze kosten terugvinden. Deze wordt u jaarlijks toegestuurd ter informatie over de ontwikkeling van uw polis.

Spaarbeleggingshypotheek

De spaarbeleggingshypotheek is een combinatie van de spaarhypotheek en de beleggingshypotheek met een verzekering. Dit wordt ook wel een hybride hypotheek genoemd. De keuze tussen sparen en beleggen hebt u niet alleen bij aanvang, maar ook tijdens de looptijd. De spaarvariant werkt in grote lijnen net als de spaarhypotheek. De beleggingsvariant werkt net als de belegginghypotheek via een levensverzekering. Door (deels) te beleggen, kunt u een hoger rendement halen dan bij de spaarvariant het geval zou zijn geweest. Het beleggingsresultaat moet dan wel goed zijn. U kunt kiezen uit diverse soorten beleggingsfondsen, bijvoorbeeld in aandelen wereldwijd. Relatief veilige beleggingen zoals staatsleningen, obligaties of deposito's raden wij, gezien de kosten ten opzichte van de opbrengsten, over het algemeen af. U kunt dan beter kiezen voor de spaarvariant.

Voordelen bij spaarbeleggingshypotheken: u hebt flexibiliteit.

- U kunt een deel van de aflossing van uw hypotheek veilig stellen door te sparen en voor een ander deel kunt u beleggingsrisico lopen.
- U kunt switchen tussen sparen en beleggen. Hier zijn soms wel beperkende voorwaarden voor.
- U kunt minder verzekeren tegen overlijden.

Nadelen bij een spaarbeleggingshypotheek: kosten en onzekerheid.

- Als de resultaten bij het beleggingsdeel achterblijven, kan dat ook gevolgen hebben voor het spaargedeelte. De kosten voor de overlijdensrisicoverzekering zullen dan stijgen en dit drukt zowel op de resultaten van het beleggingsdeel als op het spaardeel.
- Als u alleen kiest voor het spaargedeelte, kunt u beter kiezen voor de gewone spaarhypotheek, omdat u bij de spaarbeleggingshypotheek hogere kosten hebt.

Traditionele levenhypotheek

Er zijn ook beleggingshypotheken met een verzekering, waarbij uw inleg deels wordt gegarandeerd: een traditionele levenhypotheek. Ook bij deze hypotheekvorm loopt u beleggingsrisico. Het rendement afhankelijk van beleggingen in bijvoorbeeld obligaties of staatsleningen. Ook kan het rendement afhankelijk zijn van het bedrijfsresultaat van de verzekeraar. U krijgt meestal een spaargarantie van 3%. Door deze lage garantie is de verzekeringspremie vaak veel hoger dan bij een spaarhypotheek. Bij dit lage rendement bouwt u een deel van het vermogen op om de hypotheek af te lossen. Voor het meerdere bent u aangewezen op de zogenoemde 'overrente' of 'winstdeling'. Maar die is niet van tevoren bekend. Winstdelingen uit het verleden zeggen niets over de toekomst.

Ook bij deze verzekering worden altijd (beleggings- en verzekerings)kosten ingehouden. Dit gaat ten koste van uw einduitkering. Bij tussentijdse beëindiging van de verzekering (afkopen) worden alle nog niet verrekende kosten ineens bij u in rekening gebracht. Hierdoor valt de afkoopwaarde vaak tegen. Als u een gegarandeerde uitkering wilt, dan kunt u beter kiezen voor de spaarhypotheek, de spaarvariant van de spaarbeleggingshypotheek of de spaarvariant van de bankspaarhypotheek.

Onzichtbare kosten

Als u kiest voor een beleggingshypotheek (via een levensverzekering) of voor de beleggingsvariant van een spaarbeleggingshypotheek, dan krijgt u te maken met kosten die niet altijd zichtbaar zijn. Bij beleggingen via een levensverzekering met een duur van dertig jaar gaat er al snel 2,5% of meer van het rendement verloren aan (beleggings- en verzekerings) kosten. Bij 8% bruto rendement, houdt u maximaal 5,5% netto over. Hierin zitten aan- en verkoopkosten, administratie- en beheerkosten, kosten voor het beleggingsfonds en kosten voor de verzekeraar/tussenpersoon.
Relatief veilige beleggingen (staatsleningen, obligaties, deposito's) leveren vaak niet meer op dan zo'n 7% gemiddeld. Gaat hier nog minimaal 2,5% aan kosten vanaf, dan is uw netto rendement 4,5%. En als dat lager is dan het rendement dat u in uw (bancaire) spaarhypotheek zou hebben, dan heeft het geen zin om voor die relatief veilige beleggingen te kiezen. Splits uw hypotheek dan liever in een deel risicovollere beleggingen in bijvoorbeeld aandelen. Bij de (bancaire) spaarbeleggingshypotheek kunt u deze splitsing eenvoudig aanbrengen.

Effecthypotheek

Er zijn beleggingshypotheken waarbij u méér leent dan de koopsom van het huis plus de bijkomende 'kosten koper'. Het extra geleende geld belegt u in aandelen. U loopt extra risico omdat u belegt met geleend geld. Stel dat de rente stijgt. Zowel de waarde van het huis komt dan onder druk te staan als de waarde van de beleggingsportefeuille. Omdat u bij aanvang meer leent dan het huis waard is, is de kans groot dat u bij een waardedaling van het huis aflossingsproblemen krijgt. Dat wordt pas echt voelbaar als u tussentijds verhuist en de hypotheek moet aflossen.

Annuïteitenhypotheek

Bij een annuïteitenhypotheek wordt steeds hetzelfde bedrag van uw rekening afgeschreven. Dit is de zogenaamde annuïteit. Deze bestaat uit rente plus aflossing. De aflossing is in de beginjaren nog laag, maar zal ieder jaar stijgen. De schuld daalt en daarmee daalt ook de rentelast. U betaalt steeds minder rente en u krijgt ook steeds minder terug van de belasting. Omdat u aan rente plus aflossing steeds hetzelfde betaalt (de annuïteit) en u steeds minder belasting terugkrijgt, stijgt uw netto last. Vooral in het tweede deel van de looptijd merkt u dat. Gaat u tegen die tijd met pensioen, dan is dit iets om rekening mee te houden.

De kracht van deze hypotheek zit in de eenvoud: u gaat een lening aan en niets meer. U hebt bijvoorbeeld niets te maken met fiscale regels die horen bij hypotheken op basis van een levensverzekering. U bent daardoor flexibeler maar u hebt ook minder fiscaal voordeel dan bij bijvoorbeeld een spaarhypotheek. Bij deze hypotheekvorm eist de geldverstrekker meestal dat u een aparte overlijdensrisicoverzekering afsluit.

Annuïteitenhypotheek

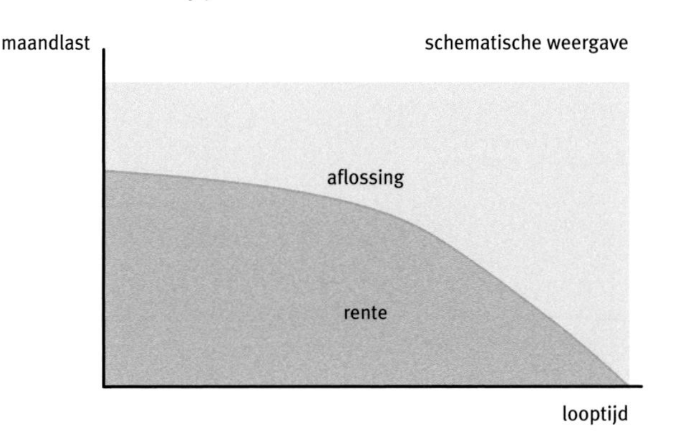

De levensverzekering van een (spaar)beleggingshypotheek

De levensverzekering van spaarbeleggings- en beleggingshypotheken wordt vaak als 'universal-life/unit linked'-polis afgesloten.

- Universal-life is een verzekeringsmethodiek die u flexibiliteit biedt, bijvoorbeeld het variëren in premiehoogte en het verhogen of verlagen van de overlijdensrisico- en/of arbeidsongeschiktheidsdekking.
- Unit-linked is een beleggingsmethodiek. De premie die u betaalt, wordt gestort in een beleggingsfonds, waarin u dan een 'unit' (aandeel) krijgt. Zowel bij aanvang als tijdens de looptijd van de verzekering kunt u kiezen hoe de premies belegd moeten worden.

Basis van de combinatie is dat het grote voordeel van unit-linked (vrijheid in keuze van beleggingen) wordt gecombineerd met de voordelen die de flexibiliteit van universal-life biedt.

Lineaire hypotheek

Een lineaire hypotheek verschilt van een annuïteitenhypotheek in het aflossingspatroon. Bij een lineaire hypotheek lost u iedere maand hetzelfde bedrag af. Uw schuld daalt daardoor in een rechte lijn (lineair). Uw rentelast daalt daardoor snel. De maandlasten zijn in het begin erg hoog en dalen zowel bruto als netto.

Lineaire hypotheek

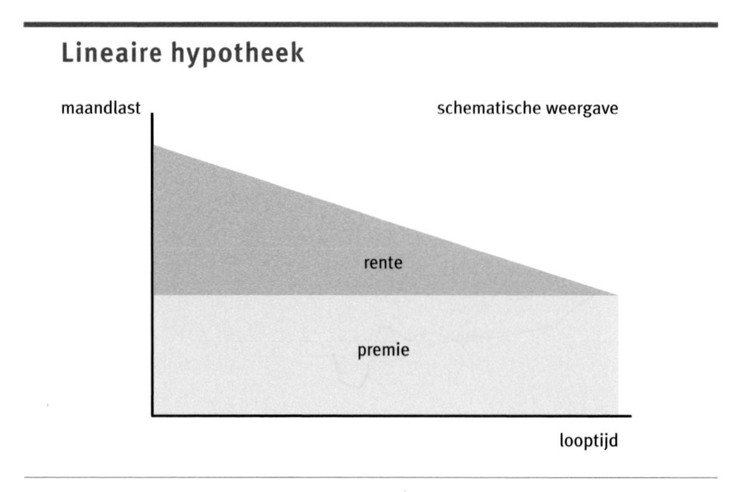

Alle hypotheekvormen

Hypotheekvorm	pag.	kenmerken
Niet verplicht aflossen		
Aflossingsvrije hypotheek	46	– alleen rente, aflossing volgt later – (vrijwillige) aflossingen vergroten de overwaarde (bijleenregeling) – periodieke hertaxatie, evt. verplichte aflossing – mogelijk 75% - 100% van de executiewaarde
Krediethypotheek	46	– alleen rente, aflossing volgt later – periodieke hertaxatie, evt. verplichte aflossing – vrije opname tot aan kredietlimiet – rente meestal variabel – meestal max. tot 75% van de executiewaarde – (vrijwillige) aflossingen vergroten uw overwaarde (bijleenregeling)
Wel aflossen met aflossingsgarantie		
– Spaarhypotheek – Spaarvariant – Spaarbeleggingshypotheek* op basis van levensverzekering – Bancaire hybride hypotheek (100% sparen)	48/51	– aflossing einde looptijd – spaarrente=hypotheekrente – rentedempende werking – belastingvrije kapitaalopbouw (box 1)
Bancaire spaarhypotheek	50	– aflossing einde looptijd – belastingvrije kapitaalopbouw (box 1) – overlijdensrisicoverzekering eventueel apart af te sluiten, in principe niet verplicht – spaarrente=hypotheekrente – afloopwaarde spaarrekening duidelijk – rentedempende werking
Annuïteitenhypotheek	54	– maandelijks rechtstreeks op de schuld aflossen – iedere maand wordt er meer afgelost – stijgende netto last door verminderde renteaftrek – aflossingen vergroten uw overwaarde (bijleen-regeling)
Lineaire hypotheek	56	– maandelijks rechtstreeks op de schuld aflossen – iedere maand wordt hetzelfde bedrag afgelost – zeer hoge aanvangslasten – dalende netto last – aflossingen vergroten uw overwaarde (bijleenregeling)

Alle hypotheekvormen

Hypotheekvorm	pag.	kenmerken
Wel aflossen zonder aflossingsgarantie		
– Beleggingshypotheek – Beleggingsvariant van de spaarbeleggingshypotheek* op basis van levensverzekering – Bancaire hybride hypotheek	49/51	– aflossing einde looptijd – belastingvrije kapitaalopbouw (box 1) – meestal hoge kosten, vooral in de eerste tien jaar – doorgaans onevenredig lage waardeopbouw in de eerste tien jaar – onzeker beleggingsrendement
Bancaire beleggingshypotheek	51	– aflossing einde looptijd – belastingvrije kapitaalopbouw (box 1) – overlijdensrisicoverzekering eventueel apart af te sluiten, in principe niet verplicht – doorgaans evenrediger kostenverdeling dan bij verzekeringsvariant, m.n. gunstig bij voortijdig beeindiging – onzeker beleggingsrendement
Traditionele levenhypotheek	53	– meestal 3% rendement gegarandeerd – onzekere winstdeling – ingehouden kosten verminderen de einduitkering – belastingvrije kapitaalopbouw (box 1)
Effecthypotheek	54	– lening deel in box 3 – aflossing met de opbrengst van de belegging

* Bij de spaarbeleggingshypotheek hebt u de keuze tussen sparen en beleggen. U kunt ook tussentijds switchen (zie §4.6).

2.8 Samenvatting

De hypotheekvorm is de belangrijkste keuze bij het afsluiten van een hypotheek. Het is bepalend voor een aantal belangrijke aspecten van uw financiële toekomst:

- De hypotheekvorm bepaalt welk deel van uw hypotheeksom u op de einddatum afgelost moet hebben en dus ook hoeveel vermogen u opbouwt.
- De hypotheekvorm bepaalt ook of u vermogen opbouwt door te sparen, door te beleggen of door een combinatie van beide.
- U bouwt ook vermogen op door direct af te lossen op de hypotheek.
- Met de hypotheekvorm maakt u de keuze of u wilt profiteren van fiscale voordelen of juist flexibel wilt zijn.
- Let wel: leeftijd en gezondheid kunnen uw keuze beperken.

3 Selectie op prijs

In dit hoofdstuk leest u hoe u de prijs van een hypotheek achterhaalt en beoordeelt.
De prijs van een hypotheek wordt bepaald door een aantal factoren:

- *hoogte van het hypotheekbedrag;*
- *hoogte van de belastingteruggave (inkomen en waarde van de woning);*
- *hypotheekvorm;*
- *rente;*
- *rentevaste periode;*
- *voorwaarden;*
- *verzekeringspremies;*
- *looptijd;*
- *bijkomende kosten.*

Dit zijn in feite uw uitgangspunten. Om een prijsvergelijking te maken is het belangrijk deze uitgangspunten gelijk te houden bij iedere hypotheekberekening die u laat maken door een adviseur. Op die manier kunt u de netto maandlasten met elkaar vergelijken. De beste vergelijking hebt u als u de totale nettolasten over de hele looptijd laat berekenen. Denk er verder aan dat een rentekorting meestal vervalt aan het einde van de rentevaste periode. Wilt u de inflatie mee laten tellen, dan is 2% - 2,5% per jaar een realistisch percentage.

3 1 Rente

In reclames, renteoverzichten, hypotheekberekeningen en offertes komt u vaak meerdere soorten rentes tegen. Onderstaande benamingen kunt u tegenkomen:

- nominale rente;
- effectieve rente;
- dagtarief;
- venstertarief;
- contractrente;
- offerterente;
- projectrente;
- arrangementsrente.

Nominale of effectieve rente

Een nominale rente is een rente die wordt vermeld in de offerte. Vermenigvuldigt u de nominale rente met het hypotheekbedrag, dan weet u hoeveel rente u jaarlijks moet betalen.
Een effectieve rente houdt rekening met de afsluitprovisie en met het feit dat de rente niet per jaar wordt betaald, maar per maand (vooraf of achteraf). De effectieve rente is altijd iets hoger dan de nominale rente. Geldverstrekkers adverteren met een nominale rente en niet met een effectieve rente.

Dagtarief/venstertarief

Het dagtarief of venstertarief is de openbaar gehanteerde rente van de desbetreffende geldgever. Kranten en internet laten hiervan regelmatig overzichten zien. Als uw renteherzieningsdatum nadert, bepalen dag- of venstertarieven vaak ook de hoogte van de rente voor uw nieuwe rentevaste periode.

Contractrente en offerterente

De contractrente is de rente die u overeenkomt met de geldverstrekker. De offerterente staat in de offerte genoemd en kan iets afwijken van de contractrente die u uiteindelijk gaat betalen. Dit kan het dagtarief zijn met een eventuele korting die u hebt bedongen. Dit is een nominale rente.

Kortingen

Het komt geregeld voor dat geldverstrekkers een korting op het dagtarief verstrekken bij het afsluiten van een hypotheek. De reden van de korting is divers. Voorbeelden zijn:

- *Project- of arrangementstarief*: omdat u een nieuwbouwwoning koopt of een nieuwe klant bent, ontvangt u deze korting. Vaak is dit een eenmalige korting die alleen de eerste rentevaste periode geldt.
- *Bijverbandkorting*: wanneer u naast uw hypotheek ook een (aantal) aanvullende financiële producten afsluit, bijvoorbeeld een woonlastenverzekering, levensverzekering of het openen van een betaalrekening, dan komt u vaak in aanmerking voor een korting. Informeer van tevoren hoe lang deze korting geldt.
- *Hoofdsomkorting*: de hoogte van de hypotheek bepaalt de hoogte van de korting.
- *Korting in verband met uitgeklede voorwaarden*: de geldverstrekker biedt een hypotheek aan waarbij de voorwaarden minder gunstig zijn dan een standaard hypotheek.

De hoogte van de kortingen is meestal 0,1 of 0,2%. De verschillende kortingen kunnen soms gecombineerd worden, waardoor de korting kan oplopen tot ongeveer 0,4%. Hoe langer u de rente vastzet, hoe langer u van een rentekorting profiteert. Bij een verhuizing neemt u de korting meestal mee. Er zijn echter ook geldverstrekkers waarbij de korting dan vervalt.

Let erop dat in het lastenoverzicht, waarop u uw keuze baseert, de rentekorting na de eerste rentevaste periode vervalt. U kunt er niet van uitgaan dat de rentekorting in de volgende rentevaste periode wordt voortgezet. Houd bij het vaststellen van de goedkoopste geldverstrekker dan ook rekening met deze kortingen. Door het wegvallen van de korting na afloop van de rentevaste periode kan een goedkope geldverstrekker op de lange termijn toch duurder uitvallen.

2 Rentevaste periode

Uw maandlast bestaat grotendeels uit rente. Zet u de rente vast, dan heeft een rentestijging gedurende uw rentevaste periode geen invloed op de hoogte van uw maandlast. Hoe langer u de rente vastzet, hoe hoger het rentepercentage.

Topopslag

De meeste geldverstrekkers verstrekken een zogenaamde basishypotheek tot 75% van de getaxeerde executiewaarde tegen een basisrente. Leent u met NHG (zie §1.8), dan krijgt u meestal een rentekorting; de geldverstrekker loopt immers geen risico. Leent u meer dan 75% van de getaxeerde executiewaarde zonder NHG, dan hebt u meestal met een zogenaamde renteopslag (ook wel: topopslag) te maken. Deze opslag staat meestal niet apart vermeld, maar is in het aangeboden rentepercentage opgenomen. De hoogte van de opslag is afhankelijk van de hoogte van de lening in verhouding tot de getaxeerde executiewaarde.

Ontwikkeling hypotheekrente vanaf 1979 t/m 15 november 2008
(variabele hypotheekrente en 5 en 10 jaar vaste hypotheekrente)

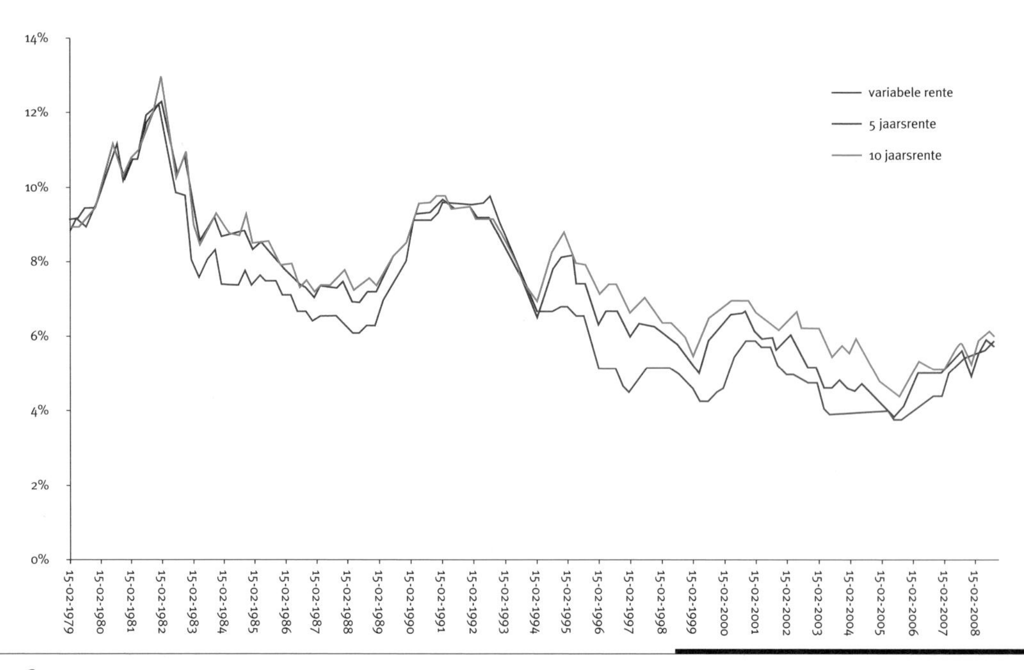

In de grafiek ziet u hoe de rente zich de afgelopen jaren heeft ontwikkeld. Zo hebt u een beeld van hoe hoog of hoe laag de rente kan worden en hoe vaak dat in de afgelopen jaren is voorgekomen. Deze grafiek kan u helpen bij het bepalen van de lengte van de rentevaste periode. Maar houd er wel rekening mee dat rente zich niet laat voorspellen, zeker niet voor een langere periode.

Bij het uitzoeken hoe lang u de rente vast wilt zetten, kunt u te maken krijgen met de volgende rentevariaties:

- variabele rente;
- instaprente;
- rente met bandbreedte.

Variabele rente

De kortste rentevaste periode die u kunt kiezen is een variabele rente. De hoogte van een variabele rente wordt elke maand of elk kwartaal opnieuw vastgesteld en kan daardoor ook elke maand of kwartaal wijzigen. De geldverstrekker gaat daarbij uit van de euribor (interbancaire rente van de 15 eurolanden) plus een opslag of hij gaat uit van de korte geldmarktrente plus een opslag. Kiest u voor een variabele rente, dan kunt u sneller te maken krijgen met een rentedaling of rentestijging.

Normaal gesproken is de hoogte van een variabele rente lager dan de rente voor een langere rentevaste periode. Het voordeel van het kiezen van een variabele rente is dus dat de maandlasten lager zijn dan wanneer u zou kiezen voor een langere rentevaste periode. Het is alleen de vraag of de variabele rente onder het actuele tarief blijft voor een langere rentevaste periode.

Als u voor variabele rente kiest, moet u over voldoende financiële middelen beschikken om eventuele rentestijgingen op te vangen. In de grafiek 'Ontwikkeling hypotheekrente vanaf 1979 t/m 15 november 2008 (variabele hypotheekrente en 5 en 10 jaar vaste hypotheekrente)' kunt u het verloop van de variabele rente zien.

Op een paar na, kunt u bij vrijwel de meeste geldverstrekkers voor een variabele rente kiezen. Voor meer informatie over een hypotheek met variabele rente kunt u terecht bij uw adviseur of geldverstrekker. Let daarbij goed op de voorwaarden en vraag hier expliciet naar.

Instaprente

Bij een instaprente hebt u gedurende één of twee jaar de mogelijkheid om, op een door u gewenst moment, de rente voor een langere periode vast te zetten. U hebt dus de mogelijkheid om af te wachten of de rente gaat dalen als u denkt dat dat gaat gebeuren. Soms is het mogelijk om na afloop van deze periode opnieuw te kiezen voor een instaprente.

Als u kiest voor een instaprente is het handig om van tevoren te weten wat de werkwijze van uw adviseur of geldverstrekker is. Soms houdt die u op de hoogte van de renteontwikkelingen, maar niet altijd. Is dat niet het geval, dan moet u de ontwikkelingen zelf in de gaten houden. Vraag uw adviseur of geldverstrekker ook hoeveel werkdagen u krijgt om de rente tegen het oude – niet verhoogde – tarief vast te zetten. U kunt hem ook machtigen om de rente direct na de eerste renteverhoging vast te zetten tegen het oude tarief. Vraagt u dan wel even na of u in dat geval nog gebruik kunt maken van een korting op de rente (zie ook §3.1 Arrangementsrente).

Rente met bandbreedte

Een variant op de variabele rente is rente met bandbreedte. Uw rente blijft voor een bepaalde periode ongewijzigd zolang de dagrente binnen een afgesproken bandbreedte stijgt of daalt. De bandbreedte kan variëren van 0,5 tot 3%. Stijgt of daalt de dagrente buiten de bandbreedte, dan gaat uw rente mee voorzover de bandbreedte is overschreden. Het voordeel van deze vorm is dat u minder risico hebt op een rentestijging dan bij een 'gewone' variabele rente.

Het nadeel van deze vorm is dat de rente bij aanvang hoger is dan een 'gewone' variabele rente. Ook loopt u gedeeltelijk het risico dat hoort bij een variabele rente: u stijgt mee met een renteverhoging buiten de bandbreedte. Bij een lage rente is de kans ook gering dat de rente daalt tot ver onder de bandbreedte zodat u van de rentedaling kunt profiteren.

Sommige geldverstrekkers bieden overigens een bandbreedte aan waarbij een renteverlaging wel meteen wordt doorgegeven. Er is dan geen bandbreedte voor rentedalingen, maar wel voor rentestijgingen.

Keuze rentevaste periode

Welke rentevaste periode voor u het gunstigst is, hangt af van een aantal factoren. In de volgende situaties kunt u beter voor een langere rentevaste periode kiezen.

- Als u het maximale leent volgens de inkomensnormen van de Nationale Hypotheek Garantie, is langdurige zekerheid over de hypotheeklast naar onze mening noodzakelijk. De financiële ruimte die u hebt om toekomstige rentestijgingen op te vangen is dan namelijk klein.
- Is de rentestand relatief laag (zie de grafiek 'Ontwikkeling hypotheekrente vanaf 1979 t/m 15 november 2008'), dan kunt u het beste kiezen voor een rentevaste periode van tien jaar of langer. U hebt dan voor een langere periode zekerheid over uw toekomstige maandlasten. Ook kunt u dan lang profiteren van deze relatief lage rente.

Bij een inflatie van 2,5% per jaar worden de gevolgen van een rentestijging van 2% na tien of vijftien jaar, nagenoeg tenietgedaan. Kortom, het vastzetten van de hypotheekrente voor tien tot vijftien jaar is over het algemeen lang genoeg.

In de volgende situaties kunt u een kortere rentevaste periode overwegen:

- U leent niet het maximaal mogelijke op basis van uw inkomen.
- U gokt op een gemiddeld lage rente of op renteverlagingen.
- U beschikt over voldoende eigen vermogen of inkomen om het risico van een rentestijging te kunnen lopen.

- U denkt de lening binnen een aantal jaren geheel of gedeeltelijk af te lossen. Bijvoorbeeld met een verwachte verzekeringsuitkering of erfenis.
- U verwacht niet lang in de woning te blijven wonen en daarna de hypotheek niet voort te zetten bij dezelfde geldverstrekker.

Als uw hypotheek uit meerdere leningdelen bestaat bent u niet verplicht om voor alle leningdelen dezelfde rentevaste periode te kiezen. U kunt te maken krijgen met een aanzienlijke lastenverzwaring als de renteherzieningsdatum voor al uw leningdelen hetzelfde is en als de rente dan fors gestegen is. U kunt dit renterisico spreiden door verschillende rentevaste periodes te kiezen voor uw leningdelen.

Tip

Laat uw hypotheekadviseur berekenen wat uw maandlasten worden als de rente zou stijgen na een korte rentevaste periode, zoals een instaprente. Als u de hogere maandlast niet of moeilijk kunt opbrengen, zet de rente dan langer vast.

3 Voorwaarden

De voorwaarden die geldverstrekkers aanbieden, zijn niet overal hetzelfde. Over het algemeen kun je zeggen: hoe gunstiger en uitgebreider de voorwaarden, hoe hoger de hypotheekrente. Het is belangrijk om de voorwaarden van de verschillende aanbieders goed te vergelijken. In hoofdstuk 4 en 5 vindt u meer informatie over een aantal belangrijke hypotheek- en offertevoorwaarden.

Uitgeklede voorwaarden

Soms biedt dezelfde geldverstrekker naast het reguliere aanbod ook een hypotheek aan met een lagere rente, maar met uitgeklede offerte- en hypotheekvoorwaarden. Deze hypotheken hebben dan klinkende namen als: voordeelhypotheek, profijtvoorwaarden, budget- of basishypotheek. Gemiddeld is de rentekorting bij deze hypotheken ongeveer 0,1 tot 0,3%. Deze rentekorting kan echter variëren per rentevaste periode en hangt ook af van het bedrag dat u leent ten opzichte van de executiewaarde. De rentekortingen gelden echter vaak alleen voor de eerste rentevaste periode.

Voor de geldverstrekkers is het mogelijk om een rentekorting te bieden door een aantal offerte- en hypotheekvoorwaarden te beperken of te wijzigen. Zo is het vaak niet mogelijk om een offerte te verlengen, waardoor de offerte binnen twee, drie of vier maanden moet passeren bij de notaris. Daarnaast zal de rente gedurende deze periode meestal niet meer meedalen bij een eventuele rentedaling. De rente in uw offerte is dan ook de rente die u gaat betalen in de toekomst.

Ten aanzien van de hypotheekvoorwaarden kunt u vaak één of meerdere van de volgende uitgeklede hypotheekvoorwaarden tegenkomen.

- Per jaar is het percentage dat u boetevrij mag aflossen verlaagd.
- De financiering van een nieuwbouwwoning is niet mogelijk.
- U betaalt ook afsluitkosten over uw bestaande hypotheekdeel bij een verhuizing.
- U kunt minder keuzes in rentevaste periodes hebben.
- Binnen een hogere inschrijving geldt een hoger minimum opnamebedrag.
- U betaalt 3% boete bij verkoop van uw woning.

Uit onderzoek van Vereniging Eigen Huis naar de hypotheekvoorwaarden blijkt dat ruim 70% van de onderzochte geldverstrekkers een hypotheek met uitgeklede voorwaarden in het assortiment heeft. In het overzicht 'Hypotheken met uitgeklede voorwaarden' leest u in kolom 1 welke geldverstrekkers een hypotheek met uitgeklede voorwaarden aanbieden.

Twee soorten uitgeklede hypotheken

Allereerst zijn er de hypotheken waarbij de rentekorting en de minder gunstige voorwaarden vastliggen. Mocht een voorwaarde niet in uw persoonlijke situatie passen, dan is deze hypotheek niet geschikt voor u.

Daarnaast zijn er hypotheken waarbij u kunt kiezen uit een aantal opties waardoor u tegen een rentekorting of renteopslag zelf kunt bepalen in hoeverre u uw hypotheek aanpast of uitkleedt: een modulaire hypotheek. Hierbij kunt u denken aan opties als: een kortere geldigheid van de offerte, een boete bij verkoop van de woning, offerterente i.p.v. dag- of dalrente bij passeren en een rentekorting als u een bijverbandproduct (bijvoorbeeld een woonlastenverzekering) afsluit of een betaalrekening opent.

Bij onderstaande geldverstrekkers is het mogelijk dat zij u een aantal opties aanbieden:

ASR Verzekeringen
FBTO
ING
Nationale-Nederlanden
SNS Bank
SNS Regio Bank
Westland/Utrecht

Boete bij verkoop van de woning

Normaal gesproken kunt u een hypotheek boetevrij aflossen als u uw woning verkoopt. Sinds de opkomst van de uitgeklede hypotheken is deze mogelijkheid echter danig ingeperkt. In het overzicht 'Hypotheken met uitgeklede voorwaarden' staan in kolom 2 de geldverstrekkers vermeld waarbij u te maken kunt krijgen met een boete als u uw woning verkoopt. Die boete kan oplopen tot 3% over het hypotheekbedrag.

Bij de volgende geldverstrekkers hebt u op voorhand de keuze of u voor deze voorwaarde kiest:

ASR Verzekeringen
ING (Voordeelrente)
Nationale-Nederlanden
SNS Bank
SNS Regio Bank
Westland/Utrecht

Bij de volgende geldverstrekkers zit u meestal aan een ongunstige verhuisboete vast:

Delta Lloyd
Direktbank
Fortis Bank
ING (Voordeelplushypotheek)

U hoeft echter geen boete te betalen bij het aflossen na overlijden van u of één van de medeschuldenaren. En aan het einde van de rentevaste periode bent u vaak geen vergoeding verschuldigd. Ook wanneer u uw oude rentecondities meeverhuist of binnen een aantal maanden na aflossen weer een hypotheek sluit bij dezelfde geldverstrekker hoeft u vaak geen boete te betalen.

Maar stel dat u na zeven jaar naar een nieuwe woning wilt verhuizen. U krijgt bij uw huidige geldverstrekker (die een boete berekent bij verhuizen van 3%) een rente aangeboden van 5,5%. Een andere geldverstrekker kan u 5,2% offreren. Bij een hypotheek van € 250.000,- krijgt u echter van uw huidige geldverstrekker een boete van € 7.500,- mocht u van deze lagere rente willen profiteren. Weg rentevoordeel! Weg onderhandelingspositie! De rentekorting die u ontvangt, weegt vaak niet op tegen het risico dat u loopt waardoor deze voorwaarde geen aanrader is.

Mocht u een offerte van een geldverstrekker hebben die in het overzicht 'Hypotheek met uitgeklede voorwaarden' in kolom 1 staat genoemd, informeer dan of er sprake is van een hypotheek met uitgeklede offerte- en hypotheekvoorwaarden.
Mocht het inderdaad gaan om een hypotheek met uitgeklede voorwaarden, dan is het voor u belangrijk om te weten welke voorwaarden gewijzigd zijn en wat dat voor u betekent. Informeer of u ook korting ontvangt wanneer uw hypotheek in de toekomst wordt verlengd en overweeg of deze korting opweegt tegen deze aangepaste voorwaarden. Als deze voorwaarden voor u niet belangrijk zijn, kunnen uitgeklede hypotheekvoorwaarden een voordelig alternatief zijn. Laat u hierover adviseren door uw adviseur.

Hypotheek met uitgeklede voorwaarden

Geldverstrekker	**Kolom 1** *Hypotheek met uitgeklede voorwaarden (budget-, voordeel, profijthypotheek, renteopties enz.)*	**Kolom 2** *3% boete mogelijk bij verkoop en aflossen van de hypotheek*
ABN AMRO	x	
Aegon		
Allianz	x	
Argenta[1]	x	
ASR Verzekeringen*	x	x
Avéro Achmea	x	
Bank of Scotland	x	
BLG Hypotheken		
Centraal Beheer Achmea	x	
DBV		
Delta Lloyd	x	x
Direktbank	x	x
DSB Bank NV		
Erasmus	x	
Europelife		
FBTO[2]*	x	
Florius	x	
Fortis Bank	x	x
Friesland Bank		
Hypotrust	x	
ING[3]*	x	x
Moneyou		
Nationale-Nederlanden*	x	x
Obvion	x	
Rabobank	x	
Reaal Verzekeringen	x	
SNS Bank*	x	x
SNS Regio Bank*	x	x
SPF Beheer		
Syntrus Achmea Vastgoed	x	
Westland/Utrecht*	x	x
Woonfonds Hypotheken	x	
Zwitserleven	x	

* Bij deze geldverstrekkers kunt u zelf bepalen welke door de geldverstrekker aangeboden uitgeklede voorwaarden voor u van toepassing zijn en met welke rentekorting of renteopslag u te maken krijgt.

1) Argenta: Classic Hypotheek alleen mogelijk voor bestaande cliënten met een Argenta Classic Hypotheek. Nieuwe cliënten kunnen alleen een Light Hypotheek afsluiten.

2) FBTO: alleen verstrekt via Eigen Huis Hypotheekservice.

3) ING: biedt een modulaire hypotheek (Voordeelrente) aan én een hypotheek, waarbij u niet zelf kunt bepalen voor welke uitgeklede voorwaarden u kiest (Voordeelplushypotheek).

3 4 Verzekeringspremies

Naast het vergelijken van de kosten voor de lening zijn ook de kosten voor een gekoppelde levensverzekering van grote invloed op de totale hypotheekkosten. Het kan voorkomen dat de ene geldverstrekker goedkoper is dan de andere, ondanks het feit dat de rente hoger is. Vergelijk daarom de hypotheken niet alleen op het rentepercentage. Als er grote verschillen zijn in de premie van de verzekering, kijk dan goed of de uitgangspunten van de verzekering wel gelijk zijn.
U kunt dan letten op:

- het eindkapitaal of doelkapitaal;
- verhouding sparen en beleggen;
- waar wordt in belegd en in welke verhouding;
- met welk rendement is de premie berekend.

Naast de hoogte van de verzekering zijn ook de voorwaarden van belang. Vergelijk ook deze met elkaar.

Een veelgestelde vraag is: hoe is bij een spaarbeleggingshypotheek te zien of er sprake is van een (deel) spaarhypotheek of van een rentefonds?
Het antwoord is simpel: bij een (deel) spaarhypotheek is de rente over het spaarsaldo gelijk aan de hypotheekrente en een rentefonds heeft die koppeling niet.

3 5 Looptijd

De meeste hypotheken kennen een looptijd van 30 jaar. Om verschillende redenen kan hiervan worden afgeweken, bijvoorbeeld vanwege uw leeftijd of gezondheid. Over het algemeen geldt dat hoe korter de termijn is waarbinnen u aflost, hoe hoger uw maandlast. Daarentegen bent u wel eerder van de hypotheek af. Hoe korter een hypotheek loopt, hoe minder rente u in totaal betaalt. Bij een hypotheek in combinatie met een levensverzekering in box 1 kan een kortere looptijd overigens nadelige fiscale consequenties opleveren.

Ook looptijden langer dan dertig jaar zijn fiscaal gezien nadelig, omdat na dertig jaar de hypotheekrenteaftrek vervalt. Houd bij het bepalen van de gewenste looptijd de gevolgen van uw pensionering in de gaten. Uw inkomen daalt en daarmee in de meeste gevallen ook uw belastingteruggave. Het kan raadzaam zijn een deel van uw hypotheek af te lossen vóór u met pensioen gaat.

3 6 Bijkomende kosten

Naast de maandelijkse lasten die u aan de geldverstrekker betaalt, hebt u ook te maken met bijkomende kosten bij het afsluiten van de hypotheek. Deze eenmalige kosten zijn:

- afsluitprovisie;
- taxatiekosten;
- notariskosten;
- eventueel kosten voor de NHG;
- eventuele advieskosten (vast tarief of op basis van uurtarief).

Afsluitprovisie

Bij het afsluiten van een hypotheek brengt de geldverstrekker meestal eenmalig een bedrag in rekening. Dit is de afsluitprovisie. Meestal is het 1% van het hypotheekbedrag. Dit bedrag is een eenmalige aftrekpost (gemaximeerd) bij de belastingaangifte over het jaar dat u dit bedrag hebt betaald.
De taxatiekosten, de notariskosten en de eventuele kosten voor de NHG zijn een onderdeel van de kosten koper.

Prijsvergelijking

Het maandbedrag dat u betaalt voor een hypotheek bestaat uit rente voor de hypotheek en een bedrag voor de (uiteindelijke) aflossing. U kunt dit totaalbedrag het beste vergelijken op basis van de netto hypotheeklasten, uitgaande van dezelfde uitgangspunten. Dit geldt ook voor hypotheken op basis van beleggingen. Daarbij gaat het in

de berekeningen van verschillende geldverstrekkers om dezelfde uitgangspunten voor het voorbeeldrendement, het gewenste eindkapitaal en gelijksoortige beleggingen. De meeste geldverstrekkers rekenen met voorbeeldrendementen. Dit voorbeeldrendement is op geen enkele wijze gegarandeerd.

Het hanteren van dezelfde uitgangspunten geeft een zo goed mogelijke indicatie voor een goede vergelijking, mits in de berekeningen alle kosten op een juiste wijze en volledig worden meegenomen. Kijk voor een eerste indicatie naar de Financiële Bijsluiter. Hier kunt u om vragen bij het aanvragen van een offerte. De Financiële Bijsluiter geeft informatie over:

- de inhoud van het product;
- de risico's van het product;
- de kosten;
- wat het product kan opbrengen;
- wat er gebeurt bij eerder beëindigen.

Deze algemene informatie over het product is zeer overzichtelijk beschreven. Als u twee producten goed met elkaar wilt vergelijken, is de bijsluiter dus van groot belang. Op *www.definancielebijsluiter.nl* vindt u meer informatie.

3 7 Rendement en risico

Als u kiest voor een spaarhypotheek is uw rendement (spaarrente) gelijk aan de hoogte van uw hypotheekrente. Deze rente wordt ook vergoed over de waarde van uw spaarpolis. Als u meer rendement wilt, dan kiest u voor beleggen, maar loopt u ook het risico dat u dat rendement niet zal halen. Een eventueel hoger rendement is daarbij een beloning voor het extra risico dat u loopt. Sta altijd stil bij het risico dat u wilt en kunt lopen.

Beleggingen kunnen ook in waarde dalen, zodat u verlies lijdt en wellicht niet het beoogde eindkapitaal bereikt. Daarnaast loopt u ook al risico over de waardeontwikkeling van het huis. Door te beleggen verdubbelt u uw risico. Het beleggingsrisico dat u loopt, is pas merkbaar op de einddatum of bij een tussentijdse verhuizing of echtscheiding, terwijl u het effect van de lagere netto maandlasten wel maandelijks in uw portemonnee merkt. Dat kan een valkuil zijn.

Gaat u beleggen? Informeer dan naar uw klantprofiel

Sinds 1 januari 2006 zijn aanbieders van financiële producten verplicht om een 'klantprofiel' op te maken. Dit is vastgelegd in de Wet op het financieel toezicht (zie ook §2.3). In een klantprofiel wordt vastgelegd wat uw financiële positie, uw beleggingservaring en uw beleggingsdoelstelling is aan de hand van een vragenlijst. Dit klantprofiel geeft aan hoe uw beleggingsprofiel eruitziet. Als u gaat beleggen moet dit overeenkomen met het beleggingsprofiel van de hypotheek. Informeer hiernaar bij uw tussenpersoon of geldverstrekker.

Het rendement kunt u niet los zien van het risico dat u loopt. Over het algemeen geldt dat naarmate u minder risicovol belegt u een lager rendement kunt verwachten. Met een 'rendement/risicofactor' (bijvoorbeeld de Sharpe-ratio) kunt u de prestaties uit het verleden van beleggingsfondsen onderling vergelijken. Deze factor geeft de exacte verhouding weer tussen rendement en risico per fonds. 'Risico' wil hier zeggen: de mate waarin van het gemiddelde wordt afgeweken. Op de financiële pagina's van de landelijke dagbladen kunt u van een groot aantal beleggingsfondsen de rendement/risicofactor achterhalen. De prestaties van een fonds kunt u alleen leggen naast die van een ander, als beide fondsen uit soortgelijke beleggingen bestaan. De prestaties van een aandelenfonds wereldwijd zijn bijvoorbeeld niet te vergelijken met die van een Nederlands staatsleningenfonds.

In de rendement/risicofactor wordt onder risico verstaan: de mate waarin de jaarlijkse rendementen afwijken van het gemiddelde rendement over een hele periode. Met andere woorden: het gaat om de uitschieters ten opzichte van het gemiddelde. Hoe hoger de rendement/risicofactor, des te beter het beleggingsfonds erin is geslaagd het gelopen risico te compenseren met rendement. Als een fonds het hoogste rendement heeft behaald tegen het laagste risico, dan zal dat fonds de hoogste factor geven. Deze situatie doet zich niet zo vaak voor, omdat in de praktijk een hoger rendement vrijwel altijd ook een hoger risico betekent. Als een fonds een meer dan gemiddeld risico heeft en daarbij ook nog eens beneden gemiddeld rendeert, dan scoort dat fonds op beide fronten (rendement en risico) slecht. De factor zal dan laag uitvallen.

U moet beide elementen (rendement en risico) tegenover elkaar afzetten. Uw insteek daarbij zou kunnen zijn: zoek een fonds met een bij u passende risicoklasse (zie hiervoor ook uw klantprofiel) en het hoogste rendement. Dit komt tot uitdrukking in een voor u acceptabele rendement/risicofactor. Let op: rendement en risico's uit het verleden zijn niet meer dan een grove indicatie en bieden geen garantie voor de toekomst. Het komt voor dat alleen de gemiddelde rendementen over de afgelopen vijf jaar zijn meegenomen in de factor. Uit deze betrekkelijk korte periode kunt u geen harde conclusies trekken.

3.8 Valkuilen

Over de rente en/of afsluitprovisie valt soms te onderhandelen. Als u een korting kunt krijgen op de afsluitprovisie is dat een eenmalige korting. Omdat u over de afsluitprovisie ook van de belasting een deel kunt terugkrijgen (zie §8.3), is de netto korting die u kunt krijgen een stukje lager. Een korting op de rente heeft een groter effect. Hoe langer u de rente vastzet, hoe langer u van een eventuele rentekorting profiteert. Deze korting wordt echter niet automatisch voortgezet na de eerstvolgende renteherziening. Als uw geldverstrekker dan ineens de duurste blijkt te zijn, voelt u zich toch bekocht. Wilt u op dat moment van geldverstrekker veranderen, dan hebt u opnieuw te maken met kosten zoals afsluitprovisie en notariskosten.
Door deze extra kosten is uw onderhandelingspositie zwak en blijft u in feite 'gebonden' aan uw geldverstrekker. Vraag altijd aan de adviseur of u een korting hebt en zo ja, hoe hoog de korting is. Zie erop toe dat de adviseur in het lastenoverzicht de rente verhoogt na de eerste rentevaste periode, want u kunt er niet van uitgaan dat de korting wordt voortgezet. U kunt dan afwegen of u kiest voor een korting waarbij de lasten in aanvang lager zijn dan bij een andere aanbieder, maar waarbij u de kans loopt dat deze aanbieding na de eerste rentevaste periode duurder is.

Wees alert op de volgende kunstgrepen waarmee men u een lagere hypotheeklast kan bieden:

- een langere looptijd;
- een kortere rentevaste periode;
- minder aflossen;
- een (zeer) hoog voorbeeldrendement voor beleggingen;
- een lage overlijdensrisicoverzekering;
- meer beleggingsrisico;
- uitgeklede voorwaarden.

Dit zijn oplossingen met een keerzijde. Uw maandlasten dalen, maar in ruil daarvoor krijgt u minder zekerheid of betaalt u uiteindelijk zelfs meer.

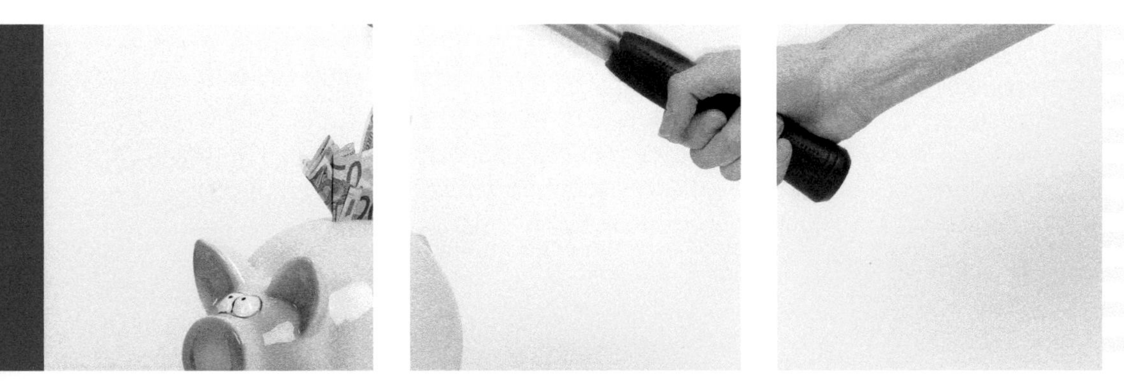

3.9 Samenvatting

- De prijs van een hypotheek is af te leiden uit de berekening. De netto maandlasten die daaruit voortvloeien kunt u met elkaar vergelijken.
- Om de berekeningen goed te kunnen vergelijken, moet u wel dezelfde uitgangspunten als basis nemen.
- Het is belangrijk dat u die uitgangspunten zorgvuldig vaststelt.
- Vergelijkt u hypotheken met een beleggingsverzekering dan kunt u bij het vergelijken het beste uitgaan van dezelfde soort beleggingen, hetzelfde rendement en hetzelfde gewenste eindkapitaal.
- Daarnaast kunt u bij hypotheken met een beleggingsverzekering letten op de zogenaamde 'rendement/risicofactor'. Dit kengetal vergelijkt het rendement uit het verleden met het gelopen beleggingsrisico.
- Naast de prijs spelen ook de voorwaarden een belangrijke rol. Meer informatie daarover vindt u in hoofdstuk 4.
- Het is aan te raden meerdere berekeningen te laten uitvoeren, maar u hoeft maar één offerte aan te vragen.

4 Selectie op kwaliteit

Bij de keuze voor een geldverstrekker spelen niet alleen de prijs maar ook de voorwaarden een belangrijke rol. Een hypotheek sluit u vaak voor dertig jaar af en in die tijd kan er veel gebeuren. Het is daarom noodzakelijk dat u de hypotheek in de toekomst kunt aanpassen. Vereniging Eigen Huis doet ieder jaar een onderzoek naar de voorwaarden van de belangrijkste geldverstrekkers. Een aantal belangrijke voorwaarden uit dit onderzoek bespreken we in dit hoofdstuk.
Op www.eigenhuis.nl/wegwijzerhypotheekvoorwaardenextra vindt u de onderzoeksresultaten terug in duidelijke overzichten, die u kunnen helpen met uw keuze.

4.1 Belangrijke voorwaarden

De keuze voor een geldverstrekker is natuurlijk eenvoudig als de goedkoopste aanbieder ook de beste voorwaarden heeft. Helaas biedt in sommige gevallen niet de goedkoopste aanbieder, maar de (iets) duurdere de beste voorwaarden. U kunt in eerste instantie, voordat u een offerte aanvraagt bij de duurdere geldverstrekker, onderhandelen over de prijs. Probeer dan een lagere rente of afsluitprovisie te krijgen. Daarnaast kunt u ook bij de goedkopere geldverstrekker proberen te onderhandelen over de voorwaarden. Dit heeft echter veel minder kans van slagen. Hebt u met succes onderhandeld, zorg er dan voor dat het onderhandelingsresultaat in de offerte wordt vastgelegd.

Uit de praktijk blijkt dat er vier belangrijke situaties zijn waar bijna iedereen met een hypotheek vroeg of laat mee te maken krijgt. Hoe een geldverstrekker met deze situaties omgaat, kunt u terugvinden in de hypotheekvoorwaarden. Het kan u in de toekomst veel geld schelen als u nu een geldverstrekker selecteert die goed scoort in de situaties die voor u van belang zijn. Het is daarom belangrijk om stil te staan bij de volgende voorwaarden.
- extra geld opnemen via de hypotheek;
- extra aflossen;
- verhuizen;
- geldigheidsduur offerte.

In dit hoofdstuk komen de eerste drie voorwaarden aan de orde, plus nog een aantal aanvullende voorwaarden. De vierde belangrijke voorwaarde, de geldigheidsduur van de offerte, wordt in §5.2 behandeld.

Let op

De meeste geldverstrekkers verkopen naast een standaardhypotheek ook een uitgeklede variant, waarbij u een lagere rente betaalt, maar de voorwaarden minder gunstig zijn ten opzichte van de voorwaarden die hier besproken worden (zie ook §3.3).

Er zijn, naast de vier eerder genoemde voorwaarden, nog een aantal andere zaken die in meer of mindere mate belangrijk kunnen zijn bij het selecteren van de juiste hypotheek. Dit zijn:

- de mogelijkheid om minder te verzekeren tegen overlijden;
- de switchmogelijkheden bij een spaarbeleggingshypotheek en bancaire hybride hypotheek;
- het bedrag dat u maximaal aflossingsvrij kunt lenen;
- de vergoeding over een bouwdepot bij een nieuwbouwwoning.

4.2 Extra geld opnemen via de hypotheek

Het is altijd handig om in de toekomst geld te kunnen opnemen via uw hypotheek, voor bijvoorbeeld een verbouwing. In de hypotheekvoorwaarden kunt u hiervoor de volgende zaken bekijken:

- Kan de hypotheek hoger ingeschreven worden?
- Geldt voor de inschrijving een minimaal of maximaal bedrag?
- Geldt voor de opname een minimaal of maximaal bedrag?

Door uw hypotheek hoger in te schrijven, reserveert u kredietruimte voor de toekomst. Hoger inschrijven betekent dat de notaris uw hypotheek voor een hoger bedrag inschrijft bij het Kadaster dan nodig is voor de koop van het huis. Dit betekent nog niet dat de geldverstrekker al akkoord is met het verstrekken van het extra geld. Pas op het moment van aanvragen van een tweede hypotheek kijkt de geldverstrekker of u in aanmerking komt voor een extra hypotheek.

Schrijft u uw hypotheek niet hoger in en wilt u later toch geld bijlenen, dan zult u voor de extra hypotheek opnieuw naar de notaris moeten. U bent dan duurder uit. U betaalt mogelijk nu iets meer notariskosten voor de hogere inschrijving, maar deze extra kosten zijn veel lager dan de kosten voor het tweede hypotheekdeel waarvoor u extra naar de notaris moet. Bijvoorbeeld: als u € 25.000,- leent via een tweede hypotheek, dan bent u grofweg € 600,- kwijt aan de kosten van de hypotheekakte. Als u de eerste hypotheek bij aanvang al € 25.000,- hoger had laten inschrijven, was u nauwelijks meer kwijt geweest.

Met uitzondering van Centraal Beheer Achmea bieden alle geldverstrekkers de mogelijkheid een hypotheek hoger in te schrijven. Voor welk bedrag u de hypotheek maximaal mag laten inschrijven, hangt af van het beleid van de geldverstrekker. U betaalt pas afsluitprovisie als u het geld ook opneemt. Het is dus niet zo dat u direct afsluitprovisie betaalt over de hogere inschrijving.
De minimale opname binnen de hogere inschrijving varieert per geldverstrekker. Een aantal geldverstrekkers stellen de eis dat minimaal € 15.000,- opgenomen dient te worden, maar er zijn ook geldverstrekkers die een lagere of zelfs geen minimale opname eisen.

Over het opgenomen bedrag betaalt u de rente, zoals die geldt op het moment van de opname (de dagrente). De rente over de lopende hypotheek blijft meestal ongewijzigd. Enkele geldverstrekkers verhogen echter deze rente als u in verhouding meer gaat lenen ten opzichte van de waarde van het huis. Dat ervaren zij als een verhoogd risico. De rente kan, afhankelijk van de geldverstrekker, stijgen met 0,1 tot 0,5%. Dit wordt ook wel een topopslag genoemd. Als u Nationale Hypotheek Garantie (NHG) hebt, dan is de opname in principe geen aanleiding om de rente op de lopende hypotheek te verhogen.

Op het moment dat u de hogere inschrijving gaat benutten door een extra hypotheek af te sluiten, moet u kunnen aantonen dat uw inkomen voldoende is om de extra maandlasten te dragen. Ook zult u moeten aantonen wat de waarde van de woning is, vaak aan de hand van een taxatierapport. Soms kunt u hiervoor de WOZ-waarde gebruiken.

4.3 Vervroegd aflossen

Als u uw hypotheek geheel of gedeeltelijk aflost voordat de looptijd voorbij is, is er sprake van vervroegd aflossen. Dit is bijvoorbeeld het geval als u uw hypotheek oversluit of een erfenis gebruikt om uw hypotheek (deels) af te lossen. In de hypotheekvoorwaarden of in de hypotheekakte kunt u lezen in hoeverre u boetevrij kunt aflossen.

Let op

Als u een hypotheek met een daaraan gekoppelde levensverzekering hebt, moet u rekening houden met de fiscale regels als u de hypotheek vervroegd wilt aflossen, om de uitkering uit de levensverzekering belastingvrij te kunnen ontvangen. Meer daarover kunt u lezen in §8.5.

Boete

Wilt u meer aflossen dan volgens uw voorwaarden boetevrij is toegestaan, dan kunt u te maken krijgen met een boete. Dit is meestal alleen het geval als de rente gedaald is, dus als de dagrente lager is dan uw contractrente. Als u een variabele rente hebt of als de dagrente gelijk is aan uw contractrente, moet u bij enkele geldverstrekkers toch een boete betalen.

Bij een standaard hypotheek kunt u uw hypotheek vrijwel altijd (geheel of deels) boetevrij aflossen in de volgende situaties:

- aan het einde van uw rentevaste periode;
- bij verkoop van uw huis;
- bij executieverkoop van de woning, mits dat buiten uw schuld om gebeurt;
- bij tenietgaan van het onderpand (de opstalverzekering keert uit);

- bij uitkering van een overlijdensrisicoverzekering (als de verzekerde tevens de hypotheekakte heeft ondertekend);
- als de dagrente hoger is dan uw contractrente.

Let op: Het is mogelijk dat u geen standaard hypotheek hebt afgesloten, maar een hypotheek met uitgeklede voorwaarden. Bij deze hypotheken is het mogelijk dat u bij verkoop van de woning toch te maken kunt krijgen met een boete. Zie §3.3 voor meer informatie.

Als de dagrente lager is dan uw contractrente op het moment van aflossing, dan krijgt u een boete over het bedrag dat u meer aflost dan boetevrij is toegestaan. Die boete is meestal gelijk aan de zogenoemde 'contante waarde van het renteverschil': De boete is gebaseerd op het verschil tussen uw contractrente en de dagrente voor soortgelijke nieuwe leningen met een looptijd die overeenkomt met de resterende rentevaste periode van de af te lossen lening.
Soortgelijk houdt in:
- dezelfde hypotheekvorm;
- wel of geen Nationale Hypotheek Garantie;
- rekening houdend met de eventuele rentekorting die u hebt.

Rekenvoorbeeld

Bijvoorbeeld: u betaalt 6,5% (contractrente tien jaar vast) en u wilt aflossen na zeven jaar. Stel dat de dagrente voor tien jaar vast 5,5% bedraagt en voor drie jaar vast 4,5% (hoe korter de rentevaste periode hoe lager het percentage). De geldverstrekker zal uw contractrente van 6,5% niet met de dagrente van een lening met een rente van tien jaar vast vergelijken (5,5%), maar met de dagrente die hoort bij de resterende rentevaste periode, namelijk 4,5%. Door uw aflossing verliest de bank 2% (6,5% min 4,5%) over drie jaar. De boete wordt 2% x 3 jaar = 6% over het afgeloste bedrag.

In werkelijkheid zal de boete uit het rekenvoorbeeld iets lager zijn, omdat onder andere rekening wordt gehouden met het boetevrije bestanddeel en met een soort geldontwaarding. Dat wil zeggen, het renteverlies wordt de 'komende drie jaar' geleden en wordt contant gemaakt naar een bedrag 'nu ineens'.

Gunstigere boeteberekening

Een aantal geldverstrekkers hanteren een gunstigere berekeningsmethode. Zij gaan niet uit van de dagrente van de resterende rentevaste periode van 3 jaar, maar van de dagrente van de oorspronkelijke rentevaste periode van 10 jaar vast (5,5%). In bovenstaand rekenvoorbeeld wordt uw boete dan geen 6%, maar 1% x 3 = 3%. Ook dit bedrag wordt contant gemaakt naar een bedrag 'nu ineens'.

De volgende geldverstrekkers hanteren deze gunstigere boeteberekening:

Argenta
BLG Hypotheken
Reaal Holland Woningfinanciering

Boetevrije deel

Ieder jaar mag u een deel van de hypotheek boetevrij aflossen. Dat boetevrije deel wordt uitgedrukt als percentage van het oorspronkelijk geleende bedrag en is meestal 10%. Een enkele geldverstrekker hanteert 15 of 20%. Het percentage geldt voor ieder kalenderjaar afzonderlijk. U kunt de percentages niet bij elkaar optellen. Als u bijvoorbeeld drie jaar achter elkaar niets extra's aflost, kunt u niet in het vierde jaar vier maal dat percentage boetevrij aflossen.

Op *www.eigenhuis.nl/boetebijoversluiten* kunt u met de module 'Boete berekenen bij oversluiten en aflossen' een indicatie krijgen van de hoogte van een eventuele boete bij te veel aflossen. De boete wordt berekend aan de hand van zowel de 'gunstige' als de 'ongunstige' berekeningsmethode, als u meer aflost dan boetevrij is toegestaan bij uw geldverstrekker.

De boete kan ook nadelig voor u uitpakken als de geldverstrekker een minimum boete hanteert, bijvoorbeeld vier maanden boeterente, terwijl het werkelijke renteverlies voor de geldverstrekker lager is.

Daarnaast eisen sommige geldverstrekkers dat u een extra aflossing van tevoren aankondigt (meestal een maand, informeer hiernaar bij uw geldverstrekker). Kondigt u dit niet van tevoren aan, dan kan bijvoorbeeld naast de boete, extra rente over deze aankondigingstermijn worden gevraagd. Soms geldt voor de boetevrije aflossing een minimumbedrag.

Op *www.eigenhuis.nl/wegwijzerhypotheekvoorwaardenextra* vindt u een overzicht van de voorwaarden die per geldverstrekker gelden bij vervroegd aflossen.

4

4 Verhuiscondities

Een gemiddelde Nederlander verhuist meerdere malen in zijn leven. Een hypotheek wordt echter afgesloten voor een langere periode. Het is daarom waarschijnlijk dat bij een verhuizing uw hypotheek meeverhuist.

Rente meeverhuizen

De mogelijkheden om uw hypotheek mee te verhuizen zijn een punt van aandacht. Het gaat dan vooral om de hypotheekrente. Als de contractrente die u betaalt (bijvoorbeeld 5%) lager is dan de dagrente op het moment van verhuizen (bijvoorbeeld 7%), dan wilt u natuurlijk uw lagere contractrente behouden. De manier waarop u uw lagere contractrente kunt 'meeverhuizen', verschilt per geldverstrekker. Als u bij verhuizing een hogere lening nodig hebt, leent u het extra deel tegen de dagrente.
U kunt uw lage contractrente voor de lopende hypotheek op twee manieren meeverhuizen:

- rentevaste periode afmaken met de oorspronkelijke rente;
- nieuwe (langere) rentevaste periode met middeling van de dagrente en de contractrente.

Het beste is als u de keus hebt tussen beide mogelijkheden. Stel bijvoorbeeld dat uw contractrente 5% is en dat de dagrente op het moment van verhuizen 7% bedraagt. Als u verwacht dat de dagrente van 7% verder zal stijgen en uw resterende rentevaste periode is nog kort, dan wilt u niet uw resterende rentevaste periode afmaken. U wilt dan middelen met een langere rentevaste periode. Zo krijgt u langer zekerheid over uw maandlasten en probeert u de mogelijke verdere stijging van de rente vóór te zijn.

Andersom, als u verwacht dat de dagrente van 7% zal dalen, dan wilt u helemaal niet middelen met een langere rentevaste periode, maar dan wilt u juist de resterende rentevaste periode afmaken. Zeker als uw rentevaste periode niet zo lang meer is (denk aan enkele jaren), kan voortzetten in deze situatie een betere optie zijn. Uw keuze wordt dus ingegeven door onder meer uw eigen renteverwachtingen; maar dan moet u wel die keuze krijgen. Bij de MoneYou Easy Hypotheek hebt u geen keuze. Gaat u verhuizen, dan kunt u de oude hypotheekrente op geen enkele manier meeverhuizen.

Afsluit- en meeneemkosten

De meeste geldverstrekkers brengen u alleen afsluitkosten in rekening over het leningdeel dat u extra afsluit. Er zijn echter geldverstrekkers, die ook afsluitkosten berekenen over het bestaande leningdeel. Daarnaast is het mogelijk dat de geldverstrekker een paar honderd euro administratiekosten berekent voor het meenemen van de oude rente.
Op *www.eigenhuis.nl/wegwijzerhypotheekvoorwaardenextra* kunt u terugvinden welke verhuisvoorwaarden de verschillende geldverstrekkers hanteren en of u te maken kunt krijgen met extra kosten.

Tip

Als u gaat verhuizen, maar u wilt uw hypotheekrente niet meenemen omdat u bijvoorbeeld gaat huren, dan is het bij een aantal geldverstrekkers mogelijk dat de koper van uw huis deze hypotheekrente van u overneemt. Bij een gunstige hypotheekrente kan dit u een positief verkooppunt opleveren.

Meenemen van uw levensverzekering

Bij hypotheken op basis van een levensverzekering (zie §2.7) wilt u niet alleen de rente mee kunnen nemen, maar ook de levensverzekering. Als u direct van het ene naar het andere koophuis doorverhuist, is er helemaal niets aan de hand. Als u de verzekering bij dezelfde verzekeraar voortzet (meestal ongewijzigd), wordt die weer gekoppeld aan de nieuwe hypothecaire lening. Als u kiest voor een hypotheek bij een andere geldverstrekker is het soms mogelijk om de bestaande verzekering voort te zetten, zonder dat u van verzekeraar wijzigt. De fiscale regels hiervoor kunt u nalezen in §8.5.

4 5 Minder verzekeren tegen overlijden

Naast de hiervoor genoemde belangrijke voorwaarden kunnen met name alleenstaanden en ouderen een belang hebben bij een zo laag mogelijke overlijdensrisicoverzekering. Dit geldt ook voor mensen met een minder goede gezondheid of een medische achtergrond.

Als u alleenstaand bent en u komt te overlijden, dan kan uw familie het huis verkopen en daarmee de hypotheek aflossen. De familie kan de 'erfenis' ook weigeren als de schuld groter is dan de bezittingen. U zadelt de familie dus nooit op met een schuld. In die zin hebt u dus geen verzekering nodig. Maar als de familie om deze reden de 'erfenis' weigert, dan heeft de geldverstrekker een probleem. Deze eist daarom over het algemeen dat u bij het afsluiten van de hypotheek het hypotheekdeel boven een bepaald percentage van de executiewaarde van de woning verzekert tegen overlijden. Dit percentage verschilt per geldverstrekker en loopt van 75 tot 100%.

Bent u vijftig jaar of ouder, dan kunt u te maken krijgen met een maximale eindleeftijd en zult u mogelijk voor een kortere looptijd moeten kiezen dan u oorspronkelijk van plan was. Ook betaalt u vaak hogere premies. Boven de zestig jaar kunt u over het algemeen geen overlijdensrisicoverzekering meer afsluiten.

Hebt u een minder goede gezondheid dan kunt u geweigerd worden voor de overlijdensrisicoverzekering of alleen verzekerd worden tegen een hogere premie. Bij hypotheken met gekoppelde levensverzekering kan soms worden volstaan met een overlijdensrisicodekking van 90 of 110% van de opgebouwde waarde. Bij de volgende geldverstrekkers bent u niet verplicht om een overlijdensrisicoverzekering af te sluiten (bij een volledige annuïteiten- of aflossingsvrije hypotheek):

ABN Amro
Florius
ING
MoneYou
Rabobank
Reaal Verzekeringen/MNF
SNS Regio Bank
Westland/Utrecht
Zwitserleven/WoonNexxt

Op *www.eigenhuis.nl/wegwijzerhypotheekvoorwaardenextra* vindt u een totaaloverzicht van de verschillende hypotheekproducten met een minimaal verplichte overlijdensrisicoverzekering.

Hebt u een gezin en komt u te overlijden dan willen uw erfgenamen meestal in het huis blijven wonen. Zij moeten de hypotheek dus doorbetalen. Een overlijdensrisicoverzekering die in één keer (een stuk van) de hypotheek aflost, biedt dan uitkomst. Hoeveel de verzekering moet uitkeren, is afhankelijk van het inkomen van uw nabestaanden. Als de hypotheek op twee inkomens is gebaseerd, geldt dit voor beide inkomens. De hoogte van de overlijdensrisicoverzekering kan dan voor beiden op een andere hoogte uitkomen.

Als u alleenverdiener bent, is het verstandig om ook het leven van de partner zonder inkomen te verzekeren. Zeker als er kinderen zijn. Het overlijden van de partner zonder inkomen kan allerlei kosten met zich meebrengen om het huishouden draaiende te houden en de kinderen te verzorgen.

Over het algemeen geldt dat de spaarbeleggingshypotheek, de beleggingshypotheek en de bankspaarhypotheek u meer mogelijkheden bieden om minder, of helemaal niets te verzekeren tegen overlijden dan een spaarhypotheek.
Bij de spaarhypotheek is het meestal zo dat de overlijdensrisicodekking gelijk is aan het bedrag dat u als spaarhypotheek afsluit (100% dekking). De geldverstrekker én de verzekeraar kunnen beiden verschillende eisen hanteren ten aanzien van de minimale dekking bij overlijden.
Bij de geldverstrekker wordt de minimaal verplichte overlijdensrisicodekking bepaald door het bedrag dat u leent ten opzichte van de executiewaarde van het onderpand. Over het algemeen moet u minimaal het bedrag van het leningdeel boven de 75 tot 100% van de executiewaarde van de woning verzekeren tegen overlijden.
Bij leningen met Nationale Hypotheek Garantie moet altijd minimaal het bedrag van het leningdeel boven 80% van de waarde van de woning verzekerd zijn.

4 6 Switchmogelijkheden

Bij een spaarbeleggingshypotheek en een bancaire hybride hypotheek kunt u heen en weer switchen tussen sparen en beleggen. Ook dat kan een voorwaarde zijn die u belangrijk vindt. U kunt enerzijds toekomstige premies en anderzijds reeds opgebouwd vermogen binnen de levensverzekering anders beleggen. Geldverstrekkers kunnen beperkende voorwaarden opleggen bij de switchmogelijkheden. Zo kunt u bijvoorbeeld niet onbeperkt kosteloos switchen.

Switchen van nog te betalen premies

U kunt bij elke geldverstrekker via een mutatieformulier opdracht geven uw premies in een ander fonds te beleggen. Zo kunt u switchen van bijvoorbeeld de veilige spaarhypotheekvariant (de spaarrente is gelijk aan de hypotheekrente) naar de risicovollere beleggingsvariant. Dit heeft echter minder zin naarmate de einddatum van de verzekering dichterbij komt. Dan is het totaalbedrag aan toekomstige premies namelijk gering. Daarmee is ook het totale effect kleiner.

Switchen van opgebouwd vermogen

Zeker tegen het einde van de looptijd wordt het switchen van opgebouwd vermogen belangrijker. Gedurende de laatste tien jaar van uw verzekering is het raadzaam om het opgebouwde vermogen over te hevelen van bijvoorbeeld een aandelenfonds naar een beleggingsfonds met een lager risico, of naar de spaarvariant. Dit om alvast een deel van uw vermogen veilig te stellen zodat u zeker weet dat u hiermee (een deel van) uw lening kunt aflossen. Hiervoor moet u dan aankoop- en/of verkoopkosten betalen. Soms mag u één of tweemaal gratis switchen, maar u kunt te maken krijgen met het betalen van een boete als u tijdens de rentevaste periode wilt switchen.

Als u switcht van de beleggingsvariant naar de spaarvariant is het voor de geldverstrekker ongunstig als u dat doet op het moment dat de dagrente lager is dan uw contractrente. En als u switcht van de spaarvariant naar de beleggingsvariant is het voor de geldverstrekker ongunstig als u dat doet op het moment dat de dagrente hoger is dan uw contractrente. In beide gevallen kunt u te maken krijgen met een boete. Het is per verzekeraar verschillend of er rekening wordt gehouden met een boetevrij bestanddeel. Sommige geldverstrekkers geven daarentegen een bonus als u switcht als het op een moment is dat voor hen gunstig is.

Het betalen van de boete kan contant bij u in rekening worden gebracht of de boete wordt in mindering gebracht op de levensverzekering. Dit geldt ook voor de bonus. Zorg wel dat u de fiscale regels in de gaten houdt als de boete niet contant betaald moet worden. Meer daarover leest u in §8.5.

Veel switchen loont vaak niet de moeite

Het blijkt dat particuliere beleggers vaak op verkeerde momenten switchen, en daardoor verlies nemen als dat niet nodig is, of winst te vroeg incasseren. Als de koersen bijvoorbeeld dalen, krijgt men het gevoel te moeten verkopen. Aandelen worden dan vaak omgezet in obligaties. Maar vaak blijkt dat de koersen later weer aantrekken. Alleen maakt u dit niet meer mee, omdat u naar een andere belegging bent geswitcht.

Switchen heeft alleen zin als u daadwerkelijk uw beleggingsstrategie voor de langere termijn wilt veranderen. Zo niet, dan blijkt de zogenaamde 'buy and hold' - strategie (blijf zitten waar u zit) vaker tot een goed resultaat te leiden.

4 7 Maximale (gedeeltelijke) aflossingsvrije hypotheek

Wilt u niet de volledige hypotheek aflossen of wilt u zo laag mogelijke maandlasten, dan is het voor u belangrijk om te weten hoe groot het hypotheekdeel is dat u aflossingvrij kunt afsluiten. Hoe groter dat deel is, hoe lager uw maandlasten worden. Het maakt hierbij uit of u met of zonder Nationale Hypotheek Garantie (NHG) leent. Als u met NHG leent, kunt u de hypotheek tot 50% van de waarde van de woning aflossingsvrij afsluiten. Leent u zonder NHG, dan bent u aangewezen op het beleid van de geldverstrekker. De geldverstrekker let daarbij niet op de vrije verkoopwaarde, maar op de executiewaarde. Gebruikelijk is dat een geldverstrekker tussen de 75 en 100% van de executiewaarde aflossingsvrij verstrekt. Omgerekend naar de vrije verkoopwaarde is dat 65 à 85%. Dat is dus meer dan de NHG toestaat.

Voorbeeld

U hebt zojuist een woning gekocht voor € 250.000,-. De executiewaarde van deze woning is door de taxateur bepaald op € 215.000,-. Bij een geldverstrekker die tot:

- 75% gaat, mag u € 161.250,- aflossingsvrij lenen;
- 90% gaat, mag u € 193.500,- aflossingsvrij lenen;
- 100% gaat, mag u € 215.000,- aflossingsvrij lenen.

4.8 Vergoeding bouwdepot

De hypotheek die u afsluit voor uw nieuwbouwwoning, wordt na het passeren bij de notaris door de geldverstrekker in een depot gezet. Dit bouwdepot is een soort bankrekening van waaruit de bouw in gedeelten wordt betaald. Dit kan ook het geval zijn bij hypotheken voor verbouwingen. Wilt u daar meer over weten, lees dan §7.4.

Nieuwbouwhuis kopen

Bij de koop van een nieuwbouwhuis of -appartement komt heel wat kijken. Zo krijgt u onder meer te maken met technische omschrijvingen, garanties en nieuwbouwdepots. Goed voorbereid zijn kan veel narigheid voorkomen. Om de (potentiële) koper een objectieve handleiding te bieden, heeft Vereniging Eigen Huis het boek *Nieuwbouwhuis kopen* samengesteld.
Het boek geeft inzicht in alle kosten en de mogelijkheden van financiering, legt de koop-/aannemingsovereenkomst per artikel uit en gaat in op technische omschrijvingen, tekeningen, de oplevering en garanties. Ook wordt aandacht besteed aan de oprichting van een kopersvereniging. Het boek is geschikt voor zowel kopers van nieuwbouweengezinswoningen als -appartementen. Prijs voor leden € 11,50, normale prijs € 14,50. Wilt u het boek bestellen, ga dan naar *www.eigenhuis.nl/boeken*

U bent na het passeren bij de notaris direct hypotheekrente verschuldigd over het gehele hypotheekbedrag, maar u krijgt ook depotrente vergoed over het bedrag dat nog in depot staat.
Een groot aantal geldverstrekkers hanteert voor beide rentes hetzelfde percentage. Zolang het volledige hypotheekbedrag in depot staat, ontvangt u dus evenveel rente als u betaalt en kost het u dus in feite niets. Zodra u de grondkosten betaalt en bijvoorbeeld een gedeelte van de bouw, ontvangt u over het uitbetaalde bedrag geen depotrente meer

en gaat u dus rente betalen. Dit bedrag aan rente neemt toe naarmate de bouw vordert en er meer is uitbetaald.
Bij sommige geldverstrekkers is het percentage van de depotrente lager dan de hypotheekrente. U hebt dan van het begin af aan rentekosten. Ook is het mogelijk dat administratiekosten aan u worden doorberekend.
Op *www.eigenhuis.nl/wegwijzerhypotheekvoorwaardenextra* vindt u een overzicht met meer informatie over de rentevergoeding bij een bouwdepot.

Let op

In veel gevallen is een bouwdepot voor een nieuwbouwwoning 24 maanden geldig. Het kan zijn dat de bouw vertraging oploopt en het bouwdepot moet worden verlengd. Geef dit tijdig aan bij uw adviseur of geldverstrekker om tot een oplossing te komen. Het is mogelijk dat u na 24 maanden geen rentevergoeding meer krijgt.

4.9 Samenvatting

- De prijs van een hypotheek moet altijd worden afgezet tegen de kwaliteit ervan.
- Welke hypotheekvoorwaarden belangrijk zijn, is een strikt persoonlijke afweging.
- Drie belangrijke voorwaarden – extra geld opnemen via de hypotheek, vervroegd aflossen bij lagere dagrente en verhuizen – zijn in dit hoofdstuk uitgebreid aan bod gekomen.
- De vierde belangrijke voorwaarde, de geldigheidsduur van de offerte, wordt behandeld in §5.2.

Naast de hierboven genoemde voorwaarden zijn er nog andere zaken waarmee u rekening kunt houden bij de beoordeling van uw hypotheekofferte:
- De mogelijkheid om minder te verzekeren tegen overlijden.
- De switchmogelijkheden bij een spaarbeleggingshypotheek en bancaire hybride hypotheek.
- Hoeveel u maximaal aflossingsvrij kunt lenen, eventueel in combinatie met een andere hypotheekvorm.
- De vergoeding over een bouwdepot bij een nieuwbouwwoning.

5 Hypotheekoffertes

Bij het vergelijken van berekeningen is het van groot belang dat u steeds dezelfde uitgangspunten hanteert. Aan de hand van deze berekeningen en de voorwaarden van de maatschappij maakt u een keuze waar u de offerte aan gaat vragen. Daarnaast moet u de geldigheidsduur van de offerte goed in de gaten houden.

5.1 Een offerte aanvragen

Voor de koop van de woning hebt u waarschijnlijk al geïnformeerd naar de hoogte van de hypotheeklasten. Na de koop vraagt u berekeningen aan op basis van de door u gekozen hypotheekvorm(en). Deze berekeningen vergelijkt u met elkaar en vervolgens vraagt u een offerte aan bij de geldverstrekker van uw keuze.

Waar?

Een offerte vraagt u aan via een bemiddelaar in hypotheken (een tussenpersoon of hypotheekadviseur) of rechtstreeks bij een geldverstrekker. Ook kunt u bij uw eigen bank terecht. Dit laatste heeft voor- en nadelen. U kunt als bestaande klant wellicht bepaalde extra's bedingen: een lagere rente, geen of een lagere afsluitprovisie. Nadeel van uw eigen bank is dat u er het aanbod van slechts één geldverstrekker te zien krijgt.

Bemiddelaars hebben contacten met meerdere geldverstrekkers, waardoor u een breder beeld krijgt. Sommige geldverstrekkers blijven echter vaak buiten beeld, de zogenaamde 'direct writers'. Dit zijn instellingen die rechtstreeks zaken met u doen zoals Centraal Beheer Achmea. Voor meer informatie over deze aanbieders kunt u zelf contact met ze opnemen (zie bijlage A voor de contactgegevens).

Let op

Als u aanbiedingen vergelijkt van verschillende bemiddelaars dan loopt u het gevaar appels met peren te vergelijken. Dit kunt u ondervangen door één (onafhankelijke) adviseur alle aanbiedingen van de verschillende bemiddelaars voor u door te laten rekenen. Een goede beoordeling is hierbij alleen mogelijk als dezelfde uitgangspunten worden gehanteerd.

Naast hypotheekadvieskantoren zijn er nog meer adviseurs, zoals (gecertificeerde) financiële planners. Deze planners leggen zich niet alleen toe op de hypotheek maar op uw totale financiële situatie. Via *www.ffp.nl* vindt u een gecertificeerd financieel planner bij u in de buurt.

Provisiestructuur

Hypotheekbemiddelaars zijn over het algemeen zelfstandige ondernemers die leven van de adviezen die ze aan consumenten verstrekken. Sinds 1 januari zijn zij volgens de Wet op het financieel toezicht (Wft) verplicht om hun verdiensten van tevoren aan de klant te laten zien*.
U kunt dus, voordat u uw handtekening onder een offerte zet, precies zien hoeveel u betaalt aan uw adviseur voor het advies en de afhandeling.
Gaat dit in de vorm van provisie, dan zijn die kosten versleuteld in de hypotheek én eventueel in de levensverzekering en de woonlastenverzekering. Bekijk de offerte dus goed op al deze onderdelen; u kunt over de hoogte hiervan onderhandelen!

Er zijn ook adviseurs die zich niet laten betalen door provisie van de verstrekkers en verzekeraars, maar u een declaratie in rekening brengen, de zogenoemde adviesnota.
Hierin zijn grosso modo 3 varianten te onderscheiden:

- Vaste vergoeding: u komt van tevoren een vast bedrag overeen (bijvoorbeeld € 2.500,-) waarvoor de adviseur u voorziet van een advies en voor u de bemiddeling van de hypotheekaanvraag verzorgt.
- Urendeclaratie: u spreekt met de adviseur af dat hij de door hem gemaakte uren bij u in rekening brengt. Let daarbij op de BTW die hij in rekening moet brengen: is het aangeboden tarief in- of exclusief BTW? Dat moet van tevoren duidelijk zijn. Een nadeel van dit systeem is dat u vooraf niet weet hoeveel uren de adviseur daadwerkelijk maakt; vraag dan in ieder geval om een schatting en spreek af dat de adviseur u waarschuwt als de schatting dreigt te worden overschreden. Laat deze afspraak bevestigen, bijvoorbeeld via e-mail.
- Combinatie: de adviseur brengt een vaste vergoeding in rekening én ontvangt daarnaast een (lage) doorlopende provisie van de geldverstrekker/verzekeraar. Ook zijn er adviseurs die met abonnementensystemen werken, waarbij u maandelijks een bijdrage betaalt.

Let op: het gaat bij alle bovenstaande systemen natuurlijk niet alleen over geld. U zou het belangrijkste bijna vergeten: de dienstverlening. Vraag dus een schriftelijke opgave waarin vastligt wat de adviseur voor dat geld allemaal wel en niet voor u doet! Denk daarbij in het bijzonder aan de service ná het afsluiten: belasting, wijzigingen, einde rentevaste periode, het verstrekken van meerdere offertes, vergelijken, en het onderzoeken van mogelijkheden als koopsubsidies.

* Op het moment van schrijven van de *Wegwijzer hypotheekvoorwaarden* heeft een aantal marktpartijen aangegeven dat nog niet alle beloningsafspraken bekend zijn op 1 januari 2009. In die gevallen zal de AFM coulance betrachten onder de voorwaarde dat zij zo spoedig mogelijk na 1 januari, maar uiterlijk 1 april 2009, alsnog voldoen aan deze verplichting.

Wanneer?

Aan de ene kant is het raadzaam om zo snel mogelijk een offerte aan te vragen, dus direct na de koop van het huis en deze getekend te retourneren. U sluit dan een eventuele rentestijging uit. Aan de andere kant is een getekende offerte niet eindeloos geldig. U zult binnen een bepaalde periode naar de notaris moeten voor het passeren van de offerte (zie §5.2). Als de overdracht van de woning wat langer op zich laat wachten, kan het zijn dat u later een nieuwe offerte moet aanvragen.

Het is verstandig om al ruim van te voren berekeningen te laten maken, zodat u bij een offerte aanvraag precies kunt aangeven wat u wilt. Dit voorkomt veel stress.

Hoe?

Voordat een adviseur of bemiddelaar een advies uitbrengt, moet u een inventarisatie (vragen) formulier invullen, dit wordt een klantprofiel genoemd. Naar aanleiding van dit formulier kan de adviseur of bemiddelaar berekeningen voor u maken en een advies uitbrengen. Voor de aanvraag van een hypotheekofferte vult u vervolgens samen met de adviseur of bemiddelaar een aanvraagformulier in.
Aanvraagformulieren zijn belangrijke documenten. Bewaar kopieën hiervan. Soms vragen adviseurs of u een leeg formulier wilt tekenen waarop zij later uw gegevens invullen. Dat raden wij ten zeerste af.
Over het algemeen duurt het ongeveer twee weken voordat u de offerte ontvangt. In de offerte staat vermeld welke gegevens u (alsnog) bij hen moet aanleveren. Bijvoorbeeld: kopieën van uw koopovereenkomst of uw koop-/aannemingsovereenkomst, uw inkomensgegevens, een werkgeversverklaring en een taxatierapport. Het kan zijn dat de geldverstrekker op basis van die gegevens de offerte ongeldig verklaart en eventueel een alternatief biedt.

Welke formulieren vult u in?

- klantprofiel;
- aanvraagformulier voor de hypotheek waarop u kunt aangeven of er sprake is van:
  - Nationale Hypotheek Garantie;
  - een bankgarantie;
  - een overbruggingskrediet.

En eventueel:

- aanvraagformulier levensverzekering;
- gezondheidsverklaring;
- losse overlijdensrisicoverzekering met gezondheidsverklaring;
- woonlastenverzekering.

Nationale Hypotheek Garantie (NHG) aanvragen

De geldverstrekker handelt de aanvraag (voor NHG) voor u af, zodra de hypotheek doorgaat. Controleer of het verkrijgen van NHG in de offerte is opgenomen, als het voor u van toepassing is.

Bankgarantie en overbruggingskrediet aanvragen

Ook de bankgarantie en een overbruggingskrediet kunt u aanvragen via het hypotheekaanvraagformulier. Een bankgarantie regelt u, omdat u de 10% waarborgsom niet zelf kunt betalen. Er wordt op deze manier een zekerheidsstelling afgegeven door de geldverstrekker. Een overbruggingskrediet moet aangevraagd worden wanneer de huidige woning nog niet is verkocht, maar de overwaarde wel gebruikt moet worden om de nieuwe woning te kunnen aankopen. In §6.4 en §6.7 leest u meer hierover.

Levensverzekering en gezondheidsverklaring

Als u een hypotheek met een levensverzekering aanvraagt, krijgt u te maken met formulieren voor zowel de lening als de levensverzekering. Bij de verzekering hoort ook een gezondheidsverklaring. Hiermee geeft u aan wat uw gezondheidstoestand is. De verzekeraar beoordeelt aan de hand van dit formulier of er sprake is van een normaal of verhoogd risico op overlijden. In het laatste geval kan de verzekeraar een nadere keuring verlangen, de premie verhogen of de verzekering zelfs weigeren. Soms vraagt de verzekeraar inzage in uw medisch dossier. In §6.2 kunt u hier meer over lezen.

Het invullen van een gezondheidsverklaring moet u zorgvuldig doen. Aan de ene kant moet u alles naar waarheid invullen en aan de andere kant kunt u zich afvragen hoe gedetailleerd u moet zijn. De verzekeraar geeft u daar geen specifieke richtlijnen voor. De sanctie op het niet naar waarheid en niet volledig invullen van de gezondheidsverklaring is ernstig. De verzekeraar kan de verzekering later (als een verzekerde gebeurtenis plaatsvindt) door de rechter nietig laten verklaren, met als mogelijk gevolg dat een uitkering achterwege blijft.
Houd in ieder geval in uw achterhoofd dat de verzekeraar geïnteresseerd is in het risico op overlijden. Bij twijfel zou u uw huisarts kunnen raadplegen of contact kunnen

opnemen met de verzekeraar. Verzekeringsmaatschappijen mogen overigens alleen vragen over uw gezondheid stellen die verband houden met het beoordelen van een verhoogd risico op overlijden.

Als u een medische klacht in de gezondheidsverklaring vermeldt, kan de medisch adviseur van de verzekeraar aan uw huisarts of behandelend arts nadere informatie opvragen over de aard en ernst van de aandoening en de resultaten van de behandeling. Hiervoor moet u toestemming geven en de verzekeraar moet aannemelijk maken dat door nader onderzoek een nauwkeuriger inschatting van het risico kan plaatsvinden. De huisarts of behandelend arts moet zich vervolgens beperken tot het verstrekken van feitelijke informatie naar aanleiding van gerichte vragen van de medisch adviseur. (Zie ook §6.2.)

Let op

Als de verzekeraar extra vragen gaat stellen bij uw huisarts of behandelend arts kan het lang duren voordat hij antwoord krijgt en zich daar een oordeel over heeft gevormd. Houd de datum voor de overdracht goed in de gaten en leg de arts uit dat er haast bij is.

Genezenverklaring

Bent u langer dan tien jaar geleden onder specialistische behandeling geweest en sindsdien genezen, dan kunt u van de specialist een zogenaamde 'genezenverklaring' vragen. Als u dit gelijk met de gezondheidsverklaring instuurt, vergroot u de kans dat de verzekering rondkomt tegen een normale premie.

Medische keuring

Bij een hypotheek op basis van een levensverzekering kan een medische keuring horen. Dat is afhankelijk van de hoogte van het verzekerde bedrag bij overlijden. Bij de meeste verzekeraars is een medische keuring nodig als het verzekerde bedrag hoger is dan € 160.000,-. Gelukkig hanteren steeds meer verzekeraars hiervoor een hoger bedrag, zodat een keuring steeds vaker alleen nodig is als de gezondheidsverklaring hier aanleiding toe geeft. De keuring vindt vrijwel altijd plaats nadat u de hypotheekofferte hebt getekend. U leest meer hierover in §6.2.

Arbeidsongeschikt

Arbeidsongeschiktheid houdt niet automatisch in: onverzekerbaar tegen het risico van overlijden. De redenen waardoor u arbeidsongeschikt bent (geworden), leiden namelijk lang niet altijd tot een verhoogd risico op overlijden. Denk bijvoorbeeld aan chronische rugklachten. Ook dan is het mogelijk om een hypotheek met een levensverzekering af te sluiten.

Levensverzekering en gezondheid

Voor vragen over een levensverzekering en uw gezondheid kunt u informatie inwinnen bij Welder (voorheen Breed Platform Verzekerden en Werk), *www.weldergroep.nl*
Zie de adressenlijst voor meer informatie

Woonlastenverzekering

Hebt u een hypotheek en daalt uw inkomen, dan kunnen uw hypotheeklasten te zwaar worden. Bij het invullen van een klantprofiel kan een adviseur of bemiddelaar constateren dat u risico loopt bij arbeidsongeschiktheid en/of bij werkloosheid. Veel adviseurs raden u dan aan om bij het afsluiten van een hypotheek ook een verzekering tegen een dergelijke inkomensdaling af te sluiten. Zo'n verzekering houdt in dat u gedurende een bepaalde periode een maandelijkse uitkering krijgt om de hypotheeklasten (gedeeltelijk) op te vangen als u arbeidsongeschikt of werkeloos wordt. Het kan ook zijn dat de verzekering ervoor zorgt dat u gedurende die periode geen premie hoeft te betalen voor de levensverzekering die bij de hypotheek hoort.

Is het noodzakelijk om naast de hypotheek een woonlastenverzekering af te sluiten? Bij het beantwoorden van deze vraag is het van belang om te bekijken wat uw inkomenssituatie is als u arbeidsongeschikt of werkloos zou worden. Kunt u dan nog aan uw hypothecaire verplichtingen voldoen en in uw huidige woning blijven? En zo ja, hoe lang? Of accepteert u dat u in zo'n situatie uw woning moet verkopen en goedkoper gaat wonen?

Om te bepalen welk financieel risico u loopt als u werkloos of arbeidsongeschikt wordt, is het verstandig om eerst na te gaan of u al verzekerd bent via uw werkgever en of dat voldoende is. Of u daarbij recht hebt op een uitkering en hoe hoog die uitkering is, hangt af van een aantal factoren, zoals de mate van loonverlies in geval van arbeidsongeschiktheid en uw arbeidsverleden.

WIA en WW

Sinds 1 januari 2006 is de Wet Werk en Inkomen naar Arbeidsvermogen (WIA) van kracht. De WIA is de opvolger van de WAO en legt de nadruk op wat u nog wel kunt. Hoe arbeids(on)geschikt u bent, hangt af van wat u door ziekte of gebrek aan inkomen verliest. Kunt u met algemeen geaccepteerd werk (dit kan ook ander werk zijn dan uw oude werk) meer dan 65% van uw oude loon verdienen, dan hebt u geen recht op een WIA-uitkering, maar blijft u in dienst van uw werkgever of krijgt u een WW-uitkering.
Als u werkloos wordt, kunt u vanuit de werkloosheidswet (WW) een uitkering krijgen van maximaal drie jaar en twee maanden. De duur is afhankelijk van uw arbeidsverleden.

Meer informatie over de WIA en de WW vindt u op de site van het ministerie van Sociale zaken en Werkgelegenheid *www.szw.nl* en op *www.kennisring.nl*
Op www.*werken-naar-vermogen.nl* vindt u ook informatie over de WIA.

De hoogte van de premie en de voorwaarden van de woonlastenverzekering kunnen per maatschappij verschillen. Het is belangrijk om vooraf de voorwaarden goed te bestuderen. Denk daarbij aan de volgende punten:

- Bij welk percentage arbeidsongeschiktheid ontvangt u een uitkering? Wordt u voor 40% afgekeurd en hebt u een verzekering die pas vanaf 45% uitkeert, dan krijgt u bijvoorbeeld niets.
- Hoe hoog is het maximaal te verzekeren bedrag?
- Wat is de maximale duur van de verzekering?
- Welke ziektes zijn uitgesloten?
- Kunt u in beroep gaan bij geschillen en hoe is de procedure dan geregeld?
- Hoe verloopt de premiebetaling? Is dit een koopsom (betaling van de premie vooraf ineens) of een maandelijkse premie?
- Kunt u de verzekering tussentijds beëindigen? Kiest u voor een koopsom, let er dan op dat in de voorwaarden is opgenomen dat u de te veel betaalde premie bij voortijdige beëindiging krijgt terugbetaald.
- Is de verzekering mee te nemen bij verhuizing?

Het loont de moeite om meerdere offertes aan te vragen en de premies en voorwaarden onderling te vergelijken.

5.2 Geldigheidsduur offerte

Vrijwel altijd ligt er enige tijd tussen de koop van het huis en het tekenen van de hypotheekakte bij de notaris. In die periode loopt u het risico dat de rente stijgt. Een getekende offerte sluit een stijging uit. Het is raadzaam om een offerte aan te vragen die geldig blijft tot het passeren van de hypotheekakte bij de notaris. Informeer hiernaar bij de geldverstrekker of adviseur.

Een niet getekende offerte is gemiddeld tien werkdagen geldig. Daarna kunt u er geen rechten meer aan ontlenen. Tekent en retourneert u de offerte binnen deze periode, dan is deze, afhankelijk van de geldverstrekker, twee tot zes maanden geldig. Vervolgens kunt u bij een groot deel van de hypotheken de geldigheidstermijn van de offerte een aantal maanden verlengen, vaak tegen betaling van een zogenaamde 'bereidstellingsprovisie' (ook wel verlengingskosten). Deze varieert tussen 0,15% en 0,35% per maand over het hypotheekbedrag en wordt meestal aan u doorberekend wanneer de dagrente in de tussentijd stijgt. Vraagt u bijvoorbeeld een hypotheek aan van € 250.000,-, dan gaat het dus om € 375,- à € 625,- per verlengde maand 'extra'. Daarnaast zijn er een aantal hypotheekproducten waarbij u altijd bereidstellingsprovisie per verlengde maand betaald, ook al is de dagrente in de tussentijd niet gestegen.
Het is ook mogelijk dat u geen bereidstellingsprovisie hoeft te betalen bij verlenging van uw offerte. Als er veel tijd zit tussen het moment van kopen en de eigendomsoverdracht en u hoeft geen bereidstellingsprovisie te betalen, dan kan deze voorwaarde u veel geld schelen. U betaalt bij deze hypotheekproducten meestal wel 1% annuleringskosten over de hoofdsom, wanneer u de offerte na acceptatie of verlenging annuleert (zie ook §5.3).
De bereidstellingsprovisie is fiscaal aftrekbaar als u de hypotheek aanvraagt ten behoeve van uw eigen woning.
Op *www.eigenhuis.nl/wegwijzerhypotheekvoorwaardenextra* vindt u een aantal overzichten met meer informatie over de geldigheidsduur van de offertes en de bereidstellingsprovisie die per hypotheekproduct gelden.

Als u voor een bepaalde geldverstrekker kiest (bijvoorbeeld vanwege lagere maandlasten) en u weet van tevoren dat de offerte niet lang genoeg geldig is, dan kunt u ervoor kiezen op een later tijdstip de offerte aan te vragen. U loopt dan wel het risico dat de rente in de tussentijd stijgt. Uw rente stijgt dan mee. Ook kan dat betekenen dat u de koopovereenkomst niet meer kunt ontbinden, omdat de overeengekomen periode is verstreken.

Let op

Bij een hypotheek met uitgeklede voorwaarden is de geldigheidsduur van een offerte meestal beperkter en is het vaak niet mogelijk om deze termijn te verlengen (zie ook §3.3).

Dal-, dag- of offerterente

Met het tekenen van de offerte sluit u het risico van een rentestijging uit. Maar wat als de rente in de tussentijd daalt? Dan wilt u daar ook graag van profiteren. Dit kan u veel geld schelen. Of dit in uw geval mogelijk, is afhankelijk van uw offertevoorwaarden.
In de offerte kan staan dat er sprake is van:

- offerterente;
- dagrente;
- dalrente.

Offerterente

Wanneer uw geldverstrekker u een offerte aanbiedt waarbij u niet profiteert van een tussentijdse rentedaling, dan noemen we dit offerterente. Dit betekent dat de rente die genoemd is in uw offerte ook daadwerkelijk de rente wordt na het passeren van de hypotheekakte.

Dagrente

In uw offerte kan ook sprake zijn van dagrente. Dit betekent dat op de dag dat u bij de notaris de hypotheekakte tekent (soms een paar dagen ervoor), wordt gekeken of de rente op dat moment lager is dan de rente in uw offerte. Is dit het geval dan hebt u recht op deze lagere (dag)rente.

Let op

Bij een aantal hypotheekproducten zal op het moment dat de offerte verlengd wordt geen dagrente meer gelden, maar de offerterente van het verlengingsvoorstel.

Dalrente

Het meest gunstig is een geldverstrekker die u een dalrente aanbiedt. Uw geldverstrekker neemt dan de laagste rente in de periode tussen de offertedatum en het tekenen van de hypotheekakte bij de notaris. Het voordeel van deze laatste optie is dat u profiteert van elke rentedaling ook al wordt deze weer gevolgd door een rentestijging. Tegenwoordig komt dalrente nog maar summier voor.
Op *www.eigenhuis.nl/wegwijzerhypotheekvoorwaardenextra* vindt u in de overzichten over de offertevoorwaarden meer informatie over de rente die geldt op de passeerdatum bij de notaris.

Let op

Bij een modulaire hypotheek is het vaak mogelijk om de rente bij passeren te wijzigen tegen een rentekorting of renteopslag. Bijvoorbeeld door bij het passeren te kiezen voor een offerterente in plaats van een dag- of dalrente. Zie ook §3.3.

5.3 Hoe bindend is een offerte?

Zolang u een offerte niet tekent, zit u nergens aan vast. Op het moment dat u de offerte hebt getekend gaat de geldverstrekker voor u aan de slag om op de datum van passeren het geld en de stukken bij de notaris te krijgen. Mocht u de getekende offerte willen annuleren, dan kan de geldverstrekker u annuleringskosten in rekening brengen. We kunnen hierin 3 verschillende situaties onderscheiden. Er zijn hypotheekproducten waarbij u:

- *nooit* annuleringskosten hoeft te betalen;
- annuleringskosten betaalt *na acceptatie*, dus na het tekenen van de offerte;
- annuleringskosten gaat betalen, nadat u de geldigheid van de offerte hebt *verlengd*.

In uw offerte of hypotheekvoorwaarden staat precies vermeld wat voor u van toepassing is. Mocht dit niet duidelijk zijn, informeer dan, voordat u de offerte tekent, bij uw adviseur of u te maken kunt krijgen met annuleringskosten en waar dit staat vermeld.

Eventuele annuleringskosten variëren van 0,25% tot 1,5% over het aangevraagde hypotheekbedrag. Bij een aantal hypotheekproducten staat in de offertevoorwaarden dat de hoogte van de annuleringskosten afhankelijk is van het aantal maanden dat u uw offerte hebt verlengd. Staat er in uw voorwaarden bijvoorbeeld vermeld dat u bij annuleren van de offerte 0,50% per verlengde maand moet betalen. En verlengt u de

offerte met 2 maanden. Dan moet u uiteindelijk 1% annuleringskosten betalen over het hypotheekbedrag.
Op *www.eigenhuis.nl/wegwijzerhypotheekvoorwaardenextra* vindt u in de overzichten over de offertevoorwaarden meer informatie over de annuleringskosten.

De geldverstrekker hoeft zich niet te houden aan de offerte als u de transportdatum uitstelt tot na de (verlengde) geldigheidsduur van de offerte of als hij een beroep doet op zogenoemde 'voorbehouden' in de offerte. Maakt hij een 'voorbehoud' dan bent u er niet absoluut zeker van of alles wel doorgaat op de gewenste transportdatum. De volgende voorbehouden komen vaak voor:

- U moet de koopovereenkomst of de koop-/aannemingsovereenkomst nog overleggen.
- U moet uw inkomensgegevens nog overhandigen (zoals een salarisstrook, een werkgeversverklaring of een jaaroverzicht.). De geldverstrekker controleert of de hypotheeklast in juiste verhouding staat tot uw inkomen. Hij hanteert hierbij eigen normen of die van de Nationale Hypotheek Garantie. Overschrijdt u de normen, dan heeft de geldverstrekker het recht de offerte te annuleren.
- Er moet nog een toetsing plaatsvinden bij het Bureau Krediet Registratie (BKR) te Tiel. De geldverstrekker controleert welke leningen u hebt (buiten de eventueel al lopende hypotheek) en of u betalingsachterstanden hebt (gehad). Deze toetsing kan ertoe leiden dat de offerte door de geldverstrekker wordt ingetrokken. Zie ook §1.2.
- Het huis moet nog worden getaxeerd. Als de waarde van het huis ten opzichte van de lening te laag blijkt te zijn, gaat de offerte niet door.
- Ten behoeve van de levensverzekering moet nog een medische acceptatie plaatsvinden. Het is dan nog niet bekend of u door de levensverzekeringsmaatschappij wordt geaccepteerd en/of hoe hoog de premie zal worden.

Zorg ervoor dat de geldverstrekker alle informatie op tijd in huis heeft en maak van alle brieven en documenten die u stuurt kopieën voor uw eigen administratie.

5 4 Waaruit bestaat een offerte?

Biedt een geldverstrekker u een offerte aan, dan ontvangt u de volgende zaken:

- de offerte zelf;
- aanvraagformulier voor de offerte (als u deze nog niet hebt);
- de algemene voorwaarden van de geldlening;
- een hypotheeklastenoverzicht (eventueel op verzoek).

Bij aanvraag van een levensverzekering:

- een aanbieding voor de levensverzekering;
- de algemene voorwaarden voor de levensverzekering;
- de in te vullen gezondheidsverklaring.

Financiële bijsluiter

Als u ernaar vraagt, is een adviseur bij complexe producten verplicht u de financiële bijsluiter te geven. Voorbeelden van complexe producten zijn alle hypotheekvormen met uitzondering van de aflossingsvrije-, de annuïteiten- en de lineaire hypotheek. Het doel van de bijsluiter is u op hoofdpunten te informeren over de belangrijkste kenmerken van het product. Met de bijsluiter moet u in de gelegenheid worden gesteld diverse aanbiedingen eenvoudig met elkaar te vergelijken wat betreft:

- de inhoud van het product;
- de risico's van het product;
- de kosten;
- wat het product kan opbrengen;
- wat er gebeurt bij eerder beëindigen.

De financiële bijsluiter gaat niet in op uw persoonlijke situatie.

Regels waaraan een offerte moet voldoen

De geldverstrekker moet bij het uitbrengen van een offerte voldoen aan kwaliteitseisen en gedragsregels. Deze zijn vastgelegd in de Wet op het financieel toezicht (Wft) en de Gedragscode Hypothecaire Financieringen. Deze regels moeten ervoor zorgen dat de informatie die u krijgt helder, duidelijk en feitelijk juist is.

Ook moet een aantal zaken verplicht opgenomen worden in de offerte, zoals:

- de hypotheekvorm die u afsluit;
- het rentepercentage;
- de looptijd;
- de boeteregeling die van toepassing is als u meer aflost dan boetevrij is toegestaan;
- de geldigheidsduur van de offerte;
- de datum waarop de hypotheekakte uiterlijk moet zijn gepasseerd;
- welke klachtenregeling van toepassing is.

Als u meer leent dan de maximale hypotheek die u volgens de NHG-norm met uw inkomen kunt krijgen, moet u daar schriftelijk voor gewaarschuwd worden. Vervolgens moet u voor akkoord tekenen. U neemt dan immers een zwaardere last op uw schouders. U geeft daarmee aan dat u bekend bent met de risico's die bij een hogere hypotheek horen. Ook als uw hypotheek hoger is dan de waarde van uw woning, wordt u schriftelijk gewaarschuwd voor de gevolgen van een mogelijke restschuld.
Verder mag de geldverstrekker alleen een verzekering verplicht stellen als die in een redelijk verband staat met de lening. Denk bijvoorbeeld aan een verplichte overlijdensrisicoverzekering. U bent daarbij vrij om te kiezen waar u de verzekering afsluit.
Vraag ten slotte na of de geldverstrekker de Gedragscode Hypothecaire Financieringen onderschrijft.

5 Kwaliteit adviseur

Bij het afsluiten van een hypotheek wilt u natuurlijk advies van een betrouwbare partij. Hoe weet u of u met een goede adviseur te maken hebt? Een verkeerd advies is natuurlijk nooit helemaal uit te sluiten, maar als u let op de onderstaande kwaliteitskeurmerken verkleint u de kans daarop. Welke keurmerken zijn er en wat mag u verwachten van een adviseur of bemiddelingskantoor met zo'n keurmerk?

Keurmerk Financiële Dienstverlening

Sinds 1998 bestaat er een keurmerk voor hypotheekbemiddelaars. Het Keurmerk Financiële Dienstverlening (voorheen Keurmerk Hypotheek Bemiddeling) is een kantoorgebonden kwalificatie en geldt dus niet voor individuele adviseurs. Het is mede in overleg met Vereniging Eigen Huis tot stand gekomen en geeft u meer zekerheid over de kwaliteit van het hypotheekadvies.
Een keurmerkkantoor moet voldoen aan hoge eisen ten aanzien van de kwaliteit van de advisering, de bedrijfsvoering en de integriteit. Daarom zijn er eisen opgesteld waar een keurmerkkantoor aan moet voldoen, zoals:

- Elke adviseur die aan het kantoor is verbonden, moet voldoen aan specifieke opleidingseisen.
- Alle medewerkers moeten zich houden aan de Gedragscode Hypothecaire Financieringen. De belangrijkste regels van de gedragscode staan beschreven in §5.5.
- Adviezen aan de klant worden schriftelijk vastgelegd in een klantdossier; het dossier wordt door beide partijen ondertekend. Voor het vastleggen en bewaren van de adviezen zijn door het Keurmerk strikte regels opgesteld.
- Minimaal één keer per jaar zal een klanttevredenheidsonderzoek uitgevoerd worden.

Een Keurmerkkantoor herkent u aan het logo. Op *www.kfdkeurmerk.nl* kunt u achterhalen welke bemiddelaar in uw regio het keurmerk bezit. Voor klachten tegen financiële dienstverleners kunt u terecht bij het Klachteninstituut voor financiële dienstverleners, KiFiD. Meer informatie over de klachtenprocedure vindt u in §7.2.

Erkend hypotheekadviseur

In tegenstelling tot het keurmerk is dit certificaat persoonsgebonden. Om Erkend Hypotheekadviseur te worden moet een adviseur voldoen aan bepaalde opleidingseisen. Daarnaast moet hij of zij aantonen minimaal één jaar als hypotheekadviseur werkzaam te zijn, voor minimaal de helft van de werktijd. Op *www.erkendhypotheekadviseur.nl* kunt u meer informatie vinden.

6 Samenvatting

Als u een offerte wilt aanvragen, is het verstandig de volgende zaken in de gaten te houden:

- Zorg dat u een goed beeld hebt van het aanbod vóór u een hypotheekofferte aanvraagt. Laat eventueel bij een of meer bemiddelaars en/of geldverstrekkers een kostenberekening maken. Het kan zijn dat de bemiddelaar/ geldverstrekker daar kosten voor rekent.
- Zorg dat de uitgangspunten bij die kostenberekeningen steeds dezelfde zijn.
- Als u de verschillende berekeningen hebt vergeleken, vraagt u pas een offerte aan bij de geldverstrekker van uw keus.
- Onderteken pas een offerte op het moment dat het u duidelijk is hoe lang uw offerte geldig is, of u de offerte eventueel kunt verlengen mocht dit nodig zijn en of uw verlengingskosten (bereidstellingsprovisie) moet betalen.
- Onderteken een hypotheekofferte pas wanneer u zeker bent van uw zaak. Wanneer u een offerte tekent of wanneer u een offerte hebt verlengd is het bijvoorbeeld mogelijk dat u bij het annuleren van deze offerte een flink bedrag aan annuleringskosten moet betalen.
- In de offerte worden door de geldverstrekker een aantal voorbehouden opgenomen. Neem deze voorbehouden door. Zo weet u over welke zaken de geldverstrekker nog uitsluitsel moet hebben, voordat u naar de notaris kan.
- Het kan zijn dat uw adviseur of bemiddelaar u adviseert om extra verzekeringen bij de hypotheek af te sluiten. Ga eerst na of deze verzekering in uw geval nodig is.

6 Van offerte naar notaris

In de periode tussen het tekenen van de hypotheekofferte en het tekenen van de hypotheekakte bij de notaris moet vaak nog een aantal zaken worden geregeld en gecontroleerd. Dit zijn:

- *recente loonstrookjes, werkgeversverklaring, intentieverklaring;*
- *gezondheidsverklaring en medische keuring;*
- *voorlopige overlijdensrisicoverzekering;*
- *overbruggingskrediet;*
- *opstalverzekering voor het nieuwe huis;*
- *waarborgsom of bankgarantie;*
- *taxatie;*
- *notaris;*
- *conceptaktes en notarisafrekening controleren.*

6.1 Inkomensgegevens

Uw situatie op het moment dat u bij de notaris zit is bepalend voor de geldverstrekker. Wilt u naar een andere streek in Nederland verhuizen, omdat u daar pas bent gaan werken? In dat geval kunt u beter even wachten met het kopen van een huis in die regio tot u de proeftijd uit bent en een intentieverklaring kunt overleggen. Daarnaast zult u een recente salarisstrook en een werkgeversverklaring moeten overleggen. Deze gegevens moeten nog wel hetzelfde zijn als u de hypotheekakte gaat tekenen bij de notaris. Een voorbeeld van een werkgeversverklaring kunt u vinden op de site van de NHG, *www.nhg.nl*

Voor de intentieverklaring kan de volgende tekst ingevoegd worden op de werkgeversverklaring:
'Bij gelijkblijvend functioneren en ongewijzigde bedrijfsomstandigheden wordt de arbeidsovereenkomst voor bepaalde tijd bij beëindiging daarvan opgevolgd door een arbeidsovereenkomst voor onbepaalde tijd'.

6.2 Gegevens levensverzekering

Als u de hypotheek combineert met een levensverzekering, dan geldt daarvoor ook de situatie op het moment van passeren bij de notaris. Bent u tussen het tekenen van de offerte en het tekenen van de hypotheekakte jarig geweest of is uw gezondheid gewijzigd? Let dan op. Dit kan gevolgen hebben voor de hoogte van de uiteindelijke premie die u gaat betalen ten opzichte van de premie die is berekend in de offerte.

Gezondheidsverklaring

Bij het afsluiten van een overlijdensrisicoverzekering moet u een gezondheidsverklaring invullen. De verzekeraar beoordeelt aan de hand van dit formulier of er sprake is van een normaal of verhoogd risico op overlijden. Wanneer u een verzekering aanvraagt voor een bedrag onder de € 160.000,- hoort de verzekeraar sinds april 2004 de

Standaard Gezondheidsverklaring te gebruiken.
Deze verklaring heeft een aantal voordelen. Vragen over bijvoorbeeld familie, mogen uitsluitend gaan over hart- en vaatziekten, diabetes, hoge bloeddruk en psychische aandoeningen bij uw ouders, broers en zussen. Ook zijn de vragen gerichter en is er een uitgebreide toelichting bij.
Controleer of de verzekeraar de juiste vragenlijst gebruikt. U vindt het model met een toelichting en een checklist op *www.weldergroep.nl* (onder verzekeren/ levensverzekering).
Maak van de ingevulde gezondheidsverklaring een kopie voor uw eigen administratie.

Medische keuring

Wanneer u € 160.000,- of meer verzekert of als de gezondheidsverklaring daartoe aanleiding geeft, moet u zich meestal laten keuren. Steeds meer geldverstrekkers hanteren hiervoor een hogere grens. Als u minder verzekert dan € 160.000,- maar in de afgelopen drie jaar andere levensverzekeringen hebt afgesloten die opgeteld € 160.000,- of meer bedragen, dan is meestal ook een medische keuring vereist. Bij nog hoger verzekerde bedragen (dit bedrag verschilt per verzekeringsmaatschappij) vindt een keuring door een specialist plaats.
De keuring wordt meestal uitbesteed aan een gespecialiseerd bureau. Het onderzoek mag niet worden uitgevoerd door uw eigen huisarts of uw specialist, maar ook niet door een arts die in dienst is van de verzekeraar. De keurend arts is onafhankelijk en geeft zijn bevindingen door aan de verzekeraar. Hij doet geen uitspraak over eventuele acceptatie van uw aanvraag. De verzekeraar of tussenpersoon informeert u waar u zich kunt laten keuren. De verzekeraar betaalt de kosten van de keuring.
Op onze website *www.eigenhuis.nl/overlijdensrisico* kunt u actuele informatie over de keuringsgrens lezen.

Aanvullende informatie via uw arts

Meestal heeft de medisch adviseur van de verzekeraar genoeg aan uw gezondheidsverklaring om tot een advies te komen. Maar soms is dat niet het geval. Dan wil de medisch adviseur via uw behandelend arts meer weten over de aard en ernst van de aandoening en de resultaten van de behandeling. De verzekeraar mag alleen met uw toestemming om de gewenste informatie vragen. Daarvoor stuurt de verzekeraar u een machtiging. Op de machtiging moet de naam van de huisarts of specialist staan, net als een vermelding van de medische gegevens waar het precies om gaat.
Uw arts moet zich vervolgens beperken tot het verstrekken van feitelijke informatie naar aanleiding van gerichte vragen. De verzekeraar moet u duidelijk maken waarom de extra informatie nodig is. Om het proces te bespoedigen doet u er goed aan contact op te nemen met uw arts. Maak hem of haar duidelijk dat de verzekeraar extra informatie nodig heeft en dat daar haast bij is.

Rechten en plichten bij een medische keuring

Belangrijke consumentenrechten zijn vastgelegd in het Protocol Verzekeringskeuringen. Het protocol is begin 2003 opgesteld door Welder (het voormalig Breed Platform

Verzekerden en Werk), het Verbond van Verzekeraars en de artsenfederatie KNMG. Hierin is opgenomen dat verzekeringsmaatschappijen niet naar *alle* informatie over uw gezondheid mogen vragen, maar alleen naar *relevante* informatie. Er moet bij levensverzekeringen dus een verband zijn met het beoordelen van een verhoogd risico op overlijden. Daarnaast hebt u volgens dit protocol bijvoorbeeld het recht om uw medewerking aan de verzekeringskeuring op te schorten als er niet volgens de regels wordt gewerkt. Ook hebt u recht op een herkeuring bij een negatieve beslissing van de verzekeraar. De inschatting van het gezondheidsrisico moet gebaseerd zijn op algemeen aanvaarde en actuele medisch wetenschappelijke gegevens. Verder hebt u het recht om als eerste het advies te horen dat de medisch adviseur aan de verzekeraar wil uitbrengen.

Natuurlijk hebt u ook plichten. U moet bij het invullen van de gezondheidsverklaring en tijdens de keuring zo volledig en eerlijk mogelijk zijn. U moet uw medewerking hieraan verlenen, maar wel voorzover dat voor de beoordeling van het overlijdensrisico noodzakelijk is. Met al uw vragen over gezondheid en verzekeringen kunt u terecht bij de helpdesk van Welder (voor adressen, zie bijlage B of ga naar *www.weldergroep.nl*).

Medische acceptatie versnellen

De premie in de offerte wordt pas definitief na de medische acceptatie. De verzekeraar hoeft u dus niet te accepteren voor de verzekering, maar mag u ook niet zonder opgave van reden weigeren. Belangrijkste reden om een verzekering te weigeren is uw medische toestand. Het kan zijn dat u meer premie moet betalen en in het uiterste geval kunt u worden geweigerd.
De gevolgen kunnen heel vervelend zijn: u hebt het huis wel gekocht, u hebt ook een hypotheekofferte, maar u hebt nog geen zekerheid of de offerte wel doorgaat. Het is daarom aan te raden om de medische acceptatie rond te krijgen zolang u nog onder de koop uit kunt of in ieder geval voordat u naar de notaris gaat om de hypotheekakte te tekenen. Meer over de omstandigheden waaronder u onder de koop uit kunt leest u in §1.9. Als u naar de notaris gaat zonder dat u weet welke premie u moet betalen voor de overlijdensrisicoverzekering, hebt u geen mogelijkheid meer om van die verzekering af te zien en kunt u te maken krijgen met fors hogere maandlasten.
Zodra u een polisblad of dekkingsverklaring hebt ontvangen, weet u dat de levensverzekering is geaccepteerd. Het duurt vaak enkele weken voordat u deze ontvangt. Als u extra druk uitoefent op uw adviseur, of rechtstreeks bij de verzekeraar, dan wil dat de medische acceptatie nog wel eens versnellen. Zorg er in ieder geval voor dat u zo snel mogelijk de gezondheidsverklaring invult en opstuurt.

6.3 Indekken tegen overlijden vóór de overdracht

Wat gebeurt er als u zou overlijden nog voordat u bij de notaris bent geweest om eigenaar te worden en om de hypotheekakte te tekenen? In principe gaat de koopverplichting over op uw nabestaanden. Meestal willen nabestaanden van de koop afzien, maar hoe zorgt u ervoor dat dit kan? Om problemen te voorkomen, doet u het volgende:

- Neem als ontbindende voorwaarde in de koop-/aannemingsovereenkomst op dat de koop niet doorgaat als u of uw partner voortijdig komt te overlijden.
- Ook kunt u een aparte overlijdensrisicoverzekering afsluiten. Met de uitkering kunnen nabestaanden o.a. de boete financieren die ze moeten betalen, als zij eventueel van de koop afzien.
- Misschien hebt u al een losse overlijdensrisicoverzekering lopen en kunnen nabestaanden met de uitkering van deze verzekering de opgelegde boete betalen als zij de koop willen ontbinden.
- Sluit u een hypotheek af met een ingebouwde levensverzekering (bijvoorbeeld een spaarhypotheek) dan biedt de levensverzekering bijna altijd een voorlopige dekking. Deze is meestal gratis. Uw adviseur moet deze apart aanvragen. Houd dit goed in de gaten.

Voorlopige overlijdensrisicoverzekering

Voorlopige overlijdensrisicoverzekeringen worden op verschillende manieren aangeboden. Zo zijn er geldverstrekkers die werken met een zogenaamde 'verklaring van goede gezondheid'. U zet uw handtekening onder een voorgedrukte tekst waarmee u aangeeft volledig gezond te zijn. Deze verklaring tekent u bij voorkeur tegelijk met de hypotheekofferte. Zo bent u direct verzekerd tegen overlijden.
Het tekenen van de 'verklaring van goede gezondheid' neemt overigens niet weg, dat u later de gezondheidsverklaring moet invullen ten behoeve van de uiteindelijke levensverzekering.
Er zijn ook geldverstrekkers die u alleen verzekeren tegen dood door ongeval. Bij sommige van deze geldverstrekkers bent u, als u de gezondheidsverklaring hebt ingevuld en de verzekeraar medisch akkoord is, daarna verzekerd tegen alle doodsoorzaken. Informeer daarom altijd naar de geldigheidsduur, de hoogte van de dekking en de kosten van de voorlopige overlijdensrisicoverzekering.

6 4 Waarborgsom of bankgarantie

De verkoper wil graag zekerheid hebben dat u de woning ook daadwerkelijk koopt. Een waarborgsom biedt die zekerheid. Verkopers en makelaars stellen vaak een waarborgsom ter hoogte van 10% van de koopsom voor.
De waarborgsom betaalt u niet rechtstreeks aan de verkopende partij. In plaats daarvan maakt u het bedrag over naar de notaris. De notaris parkeert het geld op een derdenrekening of speciale rekening waarover hij aan u als koper een (lage) rente kan vergoeden. Als de koop doorgaat, wordt de waarborgsom in mindering gebracht op de koopprijs of aan u terugbetaald, afhankelijk van de wijze van financieren. Weigert u het huis uiteindelijk te betalen zonder dat u een beroep kunt doen op een ontbindende voorwaarde, dan vervalt de waarborgsom aan de verkopende partij, zoals vermeld in het voorlopig koopcontract. Zo heeft de verkoper een extra stok achter de deur om de koper zijn verplichting te laten nakomen.

Zorg ervoor dat de notaris de terugbetaling van de waarborgsom op de juiste wijze in de afrekening verwerkt om ook over dit bedrag van de koopsom renteaftrek te hebben. Dit geldt als u de woning volledig wilt financieren. Stort de notaris de waarborgsom terug aan u, dan moet duidelijk zijn dat dit bedrag niet uit de hypotheek wordt betaald, maar de terugbetaling is van de waarborgsom. Het gaat erom dat u in zo'n geval uw 'eigen' geld terug krijgt.

Bankgarantie

Misschien beschikt u niet over het benodigde bedrag of zit het geld vast in spaarrekeningen of beleggingen. In plaats van een waarborgsom kunt u ook voor hetzelfde bedrag een bankgarantie regelen. Zo'n bankgarantie kunt u bij de geldverstrekker aanvragen tegelijk met de hypotheek. De geldverstrekker stelt zich dan borg en betaalt het bedrag uit 'op eerste vordering' van de notaris. De notaris vordert alleen als u uw koopverplichtingen niet nakomt. Als de geldverstrekker moet uitbetalen, moet u dit terugbetalen aan de geldverstrekker, vaak in de vorm van een lening. Een bankgarantie geeft de verkoper evenveel zekerheid als een waarborgsom. Het verschil is dat u het geld niet ter beschikking hoeft te stellen.
De kosten van een bankgarantie hangen af van het garantiebedrag en de duur. Meestal berekent men een percentage over het garantiebedrag plus vaste kosten. De kosten bedragen al snel enige honderden euro's en zijn niet fiscaal aftrekbaar.

Garant voor 2 / borgtochtverzekering

Sinds 2008 bestaat de mogelijkheid (via de NVM-makelaar) om zekerheid te stellen door middel van een zogenoemde borgtochtverzekering in plaats van een bankgarantie. Het voordeel van een borgtochtverzekering ten opzichte van een bankgarantie en waarborgsom is op de eerste plaats de wederkerigheid. Dat wil zeggen dat de zekerheid niet alleen wordt gesteld ten behoeve van de verkoper, maar ook ten behoeve van de koper. Dus als de verkoper zijn verplichtingen niet nakomt, heeft de koper ook meer zekerheid dat hij de boete daadwerkelijk krijgt uitgekeerd. Bovendien hoeft het uitgekeerde bedrag niet terug betaald te worden aan de verzekeringsmaatschappij als er sprake is van bepaalde zwaarwegende omstandigheden, bijvoorbeeld ernstige ziekte of ontslag.

6.5 Taxatie

Als u een bestaand huis koopt, moet er vrijwel altijd een taxatie plaatsvinden. Nieuwbouwhuizen hoeven over het algemeen niet te worden getaxeerd.

De hypotheekbemiddelaar kan een taxateur voorstellen en de afspraak maken. U hoeft daar niet op in te gaan, maar het kan het proces wel versoepelen.

Eigen Huis Taxatieservice

Als lid van Vereniging Eigen Huis kunt u tegen een aantrekkelijk tarief gebruikmaken van Eigen Huis Taxatieservice. De taxatie van de woning wordt uitgevoerd door een lokaal goed ingevoerde taxateur. Het taxatierapport is geschikt voor hypotheekaanvragen en wordt bijna altijd geaccepteerd door alle geldverstrekkers. Op *www.eigenhuis.nl/taxatieservice* vindt u meer informatie.

Taxatierapport

Zowel de geldverstrekkers als de Nationale Hypotheek Garantie (NHG) stellen eisen aan een taxatierapport. Kies daarom de taxateur in overleg met uw geldverstrekker of adviseur. Zo voorkomt u dubbele taxatiekosten. Als u veel eigen geld inbrengt, is een taxatie soms niet nodig, maar kunt u bijvoorbeeld volstaan met de WOZ-beschikking. (Zie ook de kadertekst over WOZ-aanslag elders op deze pagina's).
De kosten voor de taxatie zijn voor uw rekening. Er zijn inmiddels diverse ketens die voor een vast bedrag een taxatie uit voeren. De tarieven kunnen onderling sterk verschillen; het loont dus zeker de moeite om een aantal tarieven op te vragen.

Taxatie

Een taxateur beoordeelt de staat van onderhoud van de woning, noteert bijzonderheden die van invloed zijn op de waarde (bijvoorbeeld de ligging, wel of geen dakkapel), controleert of de grond is 'bezwaard' met bijvoorbeeld een recht van overpad en beoordeelt over het algemeen de waarde van het huis. Ook moet de taxateur rekening houden met (mogelijke wijzigingen in) het bestemmingsplan. Uiteindelijk krijgt u een volledig rapport waarin het hele huis staat beschreven, van de entree tot en met de zolder en het dak.
Het rapport vermeldt twee waarden: de onderhandse vrije verkoopwaarde en de executiewaarde. Als u de woning gaat verbouwen, zullen in het taxatierapport ook de beide waarden van na de verbouwing worden vermeld. De executiewaarde is een schatting van de opbrengst bij een gedwongen verkoop. Dit is gemiddeld 85 à 90% van de vrije verkoopwaarde. Soms is ook een zogenoemde herbouwwaarde opgenomen.
De herbouwwaarde komt overeen met het bedrag dat nodig is om het huis opnieuw te laten bouwen. Deze kunt u gebruiken bij het afsluiten van een opstal- of woonhuisverzekering. Let op: bewaar altijd zelf kopieën van het taxatierapport.

woz-aanslag

Op grond van de Wet Waardering Onroerende Zaken (woz) bepaalt de gemeente de waarde van alle woningen binnen haar gemeentegrenzen. De waarde staat vermeld op de zogenoemde woz-aanslag en is bepalend voor drie belastingen:
de inkomstenbelasting (eigenwoningforfait); de onroerendezaakbelasting; de waterschapslasten.
De woz-waarde geeft de waarde van uw woning weer per 1 januari 2008. Op *www.eigenhuis.nl/woz2009* vindt u meer informatie over de woz.

6 6 Opstalverzekering

Het huis moet altijd verzekerd zijn tegen brand, storm, explosies, en dergelijke. Dit is een opstal- of woonhuisverzekering. Zorg ervoor dat u voor de overdracht van de woning zo'n verzekering hebt geregeld, die ingaat op de dag dat u eigenaar wordt van de woning. De geldverstrekker stelt namelijk een opstalverzekering verplicht. Kijk op *www.eigenhuis.nl/verzekeringsservice* voor meer informatie.

6 7 Overbruggingskrediet

Een overbruggingskrediet is nodig als de overwaarde in uw oude eigen huis nog niet is vrijgekomen en u dit wel nodig hebt voor de koop van het nieuwe huis. De overwaarde krijgt u pas in handen als uw oude huis is verkocht en betaald. Op het aanvraagformulier voor de hypotheek geeft u aan hoe hoog het krediet moet worden. Het krediet loopt over het algemeen bij dezelfde geldverstrekker als de nieuwe hypotheek. Een enkele geldverstrekker biedt een los overbruggingskrediet aan. U kunt ook nog bij uw huidige geldverstrekker informeren of u geld kunt opnemen uit de lopende hypotheek zonder dat u daarvoor apart naar de notaris moet. Er is dan waarschijnlijk sprake van een hogere hypotheekinschrijving.

Maandlasten tijdelijk zeer hoog

Zoals uit het rekenvoorbeeld in het kader blijkt, leent u tijdelijk extra veel. U hebt namelijk gedurende een korte periode een hypotheek op zowel uw oude woning als op uw nieuwe woning en een overbruggingsfinanciering. Dat betekent extra risico en hoge lasten. U loopt het risico dat de verkoop van uw oude huis moeizaam verloopt of dat de opbrengst tegenvalt. De hoge lasten van de drievoudige financiering kunnen door de geldverstrekker enigszins worden beperkt door:

- de bestaande hypotheek aflossingsvrij te maken als u een lineaire of annuïteitenhypotheek hebt. Let op: informeer vooraf welke kosten deze wijziging van hypotheekvorm met zich meebrengt;

- de rente en de kosten van het overbruggingskrediet mee te financieren in de nieuwe hypotheek of in het overbruggingskrediet zelf. De rente die u over dat extra deel van de lening betaalt, is niet fiscaal aftrekbaar. Voor meer informatie over de aftrekbaarheid van de kosten die u maakt bij een overbruggingskrediet zie §8.3.

Rekenvoorbeeld overbruggingskrediet

Uitgangspunt: De huidige woning is nog niet verkocht. De voorzichtige schatting van de verkoopopbrengst bedraagt € 200.000,-. Er loopt nog een hypotheek van € 110.000,-. De overwaarde bedraagt dus € 90.000,- en wordt volledig ingezet voor de koop van het nieuwe huis. Er wordt verder geen ander eigen geld ingebracht. Het nieuwe huis kost, inclusief alle bijkomende kosten, € 300.000,-.

Er is een overbruggingskrediet nodig van € 90.000,- om de overwaarde te gebruiken voor de aankoop van de nieuwe woning. Voor de koop is € 300.000,- benodigd, dus moet er nog € 210.000,- worden bij geleend via een hypotheek op de nieuwe woning. Per saldo zijn er (tijdelijk) drie leningen voor een totaal bedrag van € 410.000,-:

- de lopende hypotheek van € 110.000,-
- een overbruggingskrediet van € 90.000,-
- een nieuwe hypotheek van € 210.000,-

Zodra de verkoop een feit is, worden de lopende hypotheek en het overbruggingskrediet afgelost en resteert er één hypotheek van € 210.000,-.

Rente en kosten van een overbruggingskrediet

Over een overbruggingskrediet betaalt u rente. Gedurende de overbruggingsperiode betaalt u een variabele of een vaste rente, dit is afhankelijk van de geldverstrekker. De hoogte van de rente varieert sterk per geldverstrekker. Vrijwel alle geldverstrekkers brengen afsluitkosten in rekening. Meestal is dat 0,5% tot 1,0% van het overbruggingskrediet.

In plaats van een percentage kan er ook een vast bedrag in rekening worden gebracht, variërend van € 100,- tot € 200,-. Daarnaast moet u vrijwel altijd van de geldverstrekkers naar de notaris om een hypotheekakte te laten opmaken. Zowel de huidige als de nieuwe woning kan hierbij als onderpand dienen.

De geldverstrekker kan bij uitzondering ook genoegen nemen met een (kosteloze) 'positieve/negatieve hypotheekverklaring'. Dit gebeurt vooral bij lage bedragen. U hoeft hiervoor niet naar de notaris. Informeer hiernaar bij uw adviseur of geldverstrekker.

Een positieve/negatieve hypotheekverklaring is een onderhandse akte die door u en de geldverstrekker wordt getekend. Het positieve deel geeft de geldverstrekker het recht om een hypotheekakte te eisen als hij dat nodig vindt. Het negatieve deel verplicht u om de woning niet verder te bezwaren met een andere hypotheek of te verkopen zonder toestemming van de geldverstrekker.

Geldigheidsduur overbruggingskrediet

Als u verhuist naar een bestaande woning, dan is een overbruggingskrediet gemiddeld zes tot vierentwintig maanden geldig. Als u verhuist naar een nieuwbouwhuis, dan kan het overbruggingskrediet gemiddeld twaalf tot vierentwintig maanden uitstaan. In die periode moet u de huidige woning verkopen en het krediet aflossen. Lukt dat niet, dan moet u samen met de geldverstrekker naar een oplossing zoeken.

8 De notaris

U moet altijd naar de notaris om eigenaar van het huis te kunnen worden en om de hypotheekakte te ondertekenen. Pas nadat u de eigendomsakte (ook wel transportakte) hebt ondertekend, bent u officieel eigenaar en kunt u een hypotheek op uw woning vestigen.
De eigendomsakte maakt de notaris op aan de hand van uw koop-/aannemingsovereenkomst. De notaris stuurt u enkele dagen van tevoren een conceptakte. U hebt dan de gelegenheid de akte te controleren en eventueel aan een deskundige voor te leggen. Hetzelfde geldt voor de hypotheekakte. Wij adviseren u om de aktes grondig te (laten) controleren. Op *www.eigenhuis.nl/waaromnotaris* kunt u een verklarende woordenlijst vinden van termen die in de aktes worden genoemd.
Als er een rentedaling heeft plaatsgevonden nadat u de hypotheekofferte hebt getekend, dan daalt de rente die u moet betalen mee als de geldverstrekker een dalrente hanteert (zie §5.2). Zie er dan ook op toe dat de geldverstrekker het lagere percentage schriftelijk bevestigt, desnoods per fax, als u bij de notaris bent om de aktes te tekenen.

In de hypotheekakte staat een hoger bedrag

In de hypotheekakte staan altijd twee bedragen: het hypotheekbedrag dat u hebt aangevraagd en hetzelfde hypotheekbedrag plus 30 tot 40%. De opslag geeft de geldverstrekker de mogelijkheid om in geval van betalingsproblemen, behalve het hypotheekbedrag, ook andere kosten in verband met de hypotheek te verhalen. U betaalt daar geen rente over en ook geen notariskosten. Verwar de opslag niet met een hogere inschrijving, waardoor u zelf meer kredietruimte inbouwt voor de toekomst. In §4.2 kunt u meer lezen over een hogere inschrijving.

Bel eerst een aantal notarissen

De notaristarieven zijn onderhandelbaar, dus maak daar ook gebruik van. U kunt bij iedere notaris terecht en bent niet aan uw eigen regio gebonden.

Functie notaris

Als u het koopcontract of de koop-/aannemingsovereenkomst ondertekent, bent u nog geen eigenaar. U wordt pas eigenaar door het ondertekenen van de eigendoms- of transportakte en de inschrijving daarvan in de openbare registers van het Kadaster. Dit wordt door de notaris verzorgd. De notaris heeft een onderzoeksplicht. Hij moet nagaan of het huis wel hypotheekvrij is op het moment dat u er eigenaar van wordt en

of er geen beslag is gelegd op de woning. Dit soort onderzoek heet 'recherche'. Als u roerende zaken overneemt van de vorige eigenaar (gordijnen en dergelijke), dan moet de notaris in de eigendomsakte duidelijk onderscheid maken tussen de koopsom van het huis en de over te nemen roerende zaken.
De geldverstrekker moet het geld voor de hypotheek een aantal dagen voor het transport overmaken naar de notaris. Dit is ook het geval als u een deel van de koopsom met eigen geld betaalt. Na het transport maakt de notaris het geld over naar de verkopende partij. Vanwege de recherche is dat één à twee dagen later. Als de overdracht van de woning op vrijdag is, staat het bedrag op zijn vroegst op dinsdag op de rekening van de verkoper.

6 9 De eindafrekening

De eindafrekening vermeldt de koopsom die in het koopcontract of in de koop-/aannemingsovereenkomst is vastgelegd. Daarnaast ziet u op de eindafrekening de overige kosten. Sommige zijn fiscaal aftrekbaar, andere niet. Elders op deze pagina's ziet u een voorbeeld van een eindafrekening voor de koop van een bestaand huis.
Controleer niet alleen de aktes, maar ook de eindafrekening zorgvuldig. U kunt een en ander ook door uw adviseur laten controleren. De eindafrekening wordt u van tevoren toegestuurd. Als u bijvoorbeeld een bestaand huis koopt en roerende zaken overneemt, zie er dan op toe dat u over de roerende zaken geen overdrachtsbelasting betaalt.

Erfpacht

Hoewel u bij erfpacht geen eigenaar van de grond wordt, moet u toch overdrachtsbelasting betalen. Erfpachtgrond wordt namelijk door de wet min of meer gelijkgesteld met eigen grond. Koopt u een bestaand huis, dan bent u 6% overdrachtsbelasting over de grond verschuldigd. Koopt u een nieuwbouwhuis, dan moet u vrijwel altijd 19% BTW betalen. Deze BTW is in de koopsom verwerkt.

Aftrekbaar

Als vuistregel geldt dat alle kosten in verband met de financiering van de eigen woning als hoofdverblijf fiscaal aftrekbaar zijn. U geeft deze kosten aan bij de post 'eigen woning' wanneer u aangifte doet. Welke kosten zijn onder meer aftrekbaar?

- alle notariële kosten die verband houden met uw hypotheekakte;
- afsluitprovisie (gemaximeerd), eventuele bereidstellingsprovisie en administratiekosten in verband met de financiering;
- kosten die u maakt om Nationale Hypotheek Garantie aan te vragen;
- taxatiekosten in verband met de financiering van het huis.

Een uitgebreid overzicht van de aftrekbare kosten vindt u in §8.3.

Voorbeeld: eindafrekening bestaande woning voor een starter (per dec. '08)

Uitgangspunt: de koopsom bedraagt € 205.000,- en er is een hypotheek nodig van € 220.000,-

Omschrijving	Te betalen
Koopsom onroerende zaak	€ 205.000,-
Koopsom roerende zaken	€ 2.000,-
Verrekening waterschapslasten en onroerendezaakbelasting (eigenaarsdeel) met de vorige eigenaar	€ 101,-
Overdrachtsbelasting 6% over de koopsom onroerende zaak	€ 12.300,-
Notariskosten transportakte (incl. BTW)	€ 708,-
Kadastrale recherche transportakte (incl. BTW)	€ 36,-
Kadastrale inschrijving transportakte[1)]	€ 76,-
Notariskosten hypotheekakte (incl. BTW)	€ 541,-*
Kadastrale recherche hypotheekakte (incl. BTW)[1)]	€ 36,- *
Kadastrale inschrijving hypotheekakte[1)]	€ 110,-*
Registratierecht hypotheekakte (incl. BTW)	€ 4,- *
Afsluitprovisie	€ 2.200,- *
Totaal door u te betalen	€ 223.112,-
Hypotheekbedrag	€ 220.000,-
Benodigd eigen geld	€ 3.112,-

*) Deze post kunt u opvoeren als aftrekpost op uw aangifte.

1) Per notaris kunnen sommige kadastrale bedragen verschillen.

6.10 Samenvatting

In dit stadium hoeft u eigenlijk geen beslissingen over de hypotheek meer te nemen. Dat hebt u hiervoor al gedaan. U moet wel het een en ander regelen en controleren:

- recente loonstrookjes, werkgeversverklaring eventueel incl. intentieverklaring;
- gezondheidsverklaring en eventueel medische keuring;
- voorlopige overlijdensrisicoverzekering;
- overbruggingskrediet;
- opstalverzekering voor het nieuwe huis;
- waarborgsom of bankgarantie;
- taxatie;
- notaris;
- conceptaktes en notarisafrekening controleren.

Hebt u alles geregeld wat de geldverstrekker u gevraagd heeft in de offerte en voldoet het resultaat aan de eisen die de geldverstrekker daaraan stelt? Als dat het geval is, dan is de getekende hypotheekofferte definitief. Loop bovenstaande punten nog eens door, voor u de akte bij de notaris laat passeren.

7 De hypotheek na de koop

Welke omstandigheden en situaties kunnen zich gedurende de looptijd voordoen en wat zijn de aandachtspunten en mogelijkheden bij:
- *(lopende) verzekeringen;*
- *klachten over uw hypotheek;*
- *renteherziening;*
- *een verbouwing financieren.*

7.1 Verzekeringen onder de loep

Een verhuizing is een goed moment om uw verzekeringen onder de loep te nemen. De opstalverzekering en de overlijdensrisicoverzekering hebt u al in een eerder stadium van de verhuizing bekeken. Maar het is goed om ook stil te staan bij:
- de inboedelverzekering;
- de woonbeschermings- of arbeidsongeschiktheidsverzekering.

Inboedelverzekering

Met een inboedelverzekering is uw inboedel verzekerd tegen brand, diefstal, stormschade e.d. Het is goed om regelmatig te controleren of het verzekerde bedrag nog overeenkomt met de waarde van uw inboedel. Hiervoor kunt u een inboedelwaardemeter gebruiken. Bijvoorbeeld die van uw verzekeringsmaatschappij. Een algemene inboedelwaardemeter vindt u op de site van het Verbond van Verzekeraars (*www.verzekeraars.nl*) onder 'publicaties/ brochures/folders'. FBTO en Centraal Beheer gaan uit van een vast verzekerd bedrag, u hoeft bij deze verzekeringsmaatschappijen dan ook geen inboedelwaardemeter in te vullen.

Naast de hoogte van het verzekerde bedrag is het goed om ook de dekking van de polis te bekijken. Sluit deze (nog) aan op uw situatie of kiest u liever voor een uitgebreidere dekking? Dan is het nu een goed moment om dit aan te passen.

Woonbeschermings- of arbeidsongeschiktheidsverzekering

Als u arbeidsongeschikt of werkloos wordt, kan uw inkomen fors dalen. Daardoor kunt u in de problemen komen met uw maandlasten. U kunt dit risico verzekeren met een woonbeschermings- of arbeidsongeschiktheidsverzekering. Of u zo'n verzekering nodig hebt, hangt af van uw persoonlijke situatie.
Misschien heeft uw werkgever een verzekering voor u afgesloten. Vraag dan wanneer die verzekering tot uitkering komt en welk bedrag dan wordt uitgekeerd. Op *www.eigenhuis.nl/woonbeschermingsverzekering* kunt u meer lezen over deze verzekering.

7.2 Klachten over uw hypotheek

Het kan natuurlijk zijn dat u na het afsluiten van uw hypotheek klachten hebt over uw geldverstrekker, effecteninstelling, verzekeringsmaatschappij, assurantie-tussenpersoon of hypotheekadviseur.

Eigen verantwoordelijkheid

De Wet op het financieel toezicht (Wft) kent een duidelijke eigen verantwoordelijkheid toe aan de consument. U moet zich bijvoorbeeld verdiepen in de informatie over het product dat u hebt afgesloten, voordat u het product aanschaft. Uiteindelijk bent u verantwoordelijk voor uw eigen beslissingen.

Hebt u een klacht, dan moet u deze allereerst indienen bij de desbetreffende organisatie zelf. Iedere financiële dienstverlener moet een interne klachtenprocedure hebben. Hoe u een klacht indient, staat voor leden van Vereniging Eigen Huis beschreven op *www.eigenhuis.nl/wegwijzerhypotheekklachten*
Als de organisatie niet met een passende oplossing komt, kunt u de klacht voorleggen aan het Klachteninstituut Financiële Dienstverlening(KiFiD). Het KiFiD is voor klachten te bereiken via *www.kifid.nl*

Klacht voorleggen aan de rechter

Als u uw klacht niet aan een geschillencommissie wilt of kunt voorleggen, kunt u kiezen voor de burgerlijke rechter. Bij een financieel belang dat kleiner is dan € 5.000,- kunt u terecht bij de kantonrechter. U bent dan niet verplicht een advocaat in te schakelen. Voor een belang dat groter is dan € 5.000,-, moet u naar de rechtbank. Inschakeling van een advocaat is in dat geval wel verplicht.

7.3 Renteherziening

De rente wordt herzien op het moment dat de rentevaste periode afloopt. Renteherziening is bij uitstek een moment om ook de hypotheek tegen het licht te houden. Hebt u nog de juiste hypotheekvorm bij de juiste geldverstrekker? Bij renteherziening kunt u uw hypotheek boetevrij aflossen. Veranderen van geldverstrekker heeft alleen zin als u de oversluitkosten (denk bijvoorbeeld aan de afsluitprovisie, taxatie- en hypotheekaktekosten) bij de andere geldverstrekker kunt terugverdienen met een lagere netto maandlast. En dat moet u goed (laten) berekenen.
Bij een spaar- of spaarbeleggingshypotheek heeft het vanwege de rentedempende werking over het algemeen geen zin om van geldverstrekker te veranderen.

Verlengingsvoorstel

Minimaal een maand voor renteherziening ontvangt u een verlengingsvoorstel van uw geldverstrekker. De precieze termijn staat in de Algemene Voorwaarden van uw hypotheek. In het verlengingsvoorstel staan de rentepercentages voor de diverse rentevaste periodes. Als de geldverstrekker slechts de rente van één rentevaste periode vermeldt, informeer dan naar de rentes van de overige rentevaste periodes. Welke rentevaste periode u moet kiezen, is afhankelijk van uw persoonlijke situatie. (Zie ook §3.2). Als u een spaarhypotheek hebt, laat de geldverstrekker dan ook de nieuwe premie berekenen.

Verlengingsvoorstel concurrerend?

Op *www.eigenhuis.nl/hypotheekservice* kunt u nagaan of u ergens anders goedkoper uit bent. Als het verlengingsvoorstel van uw geldverstrekker niet concurrerend is, kunt u de hypotheek op de renteherzieningsdatum boetevrij aflossen en naar een andere geldverstrekker overstappen. Over het algemeen moet u een algehele aflossing minimaal een maand van tevoren schriftelijk aankondigen. Doet u dat niet, dan bent u over de opzegtermijn (ook wel aankondigingstermijn genoemd) rente verschuldigd, ook al hebt u de lening eerder afgelost. Lees in uw hypotheekakte of in de algemene voorwaarden na, hoe lang van tevoren u een algehele aflossing moet aankondigen.

Zie erop toe dat u vóór het ingaan van de opzegtermijn van de hypotheek het verlengingsvoorstel hebt ontvangen. Hebt u het verlengingsvoorstel nog niet ontvangen, vraag er dan naar bij uw geldverstrekker of bemiddelaar. Vanwege de opzegtermijn wordt u ook gedwongen ruim van tevoren offertes van concurrenten op te vragen. Hoewel u geen boete betaalt, is de overstap zeker niet kostenvrij. U moet opnieuw naar de notaris voor een hypotheekakte en u betaalt meestal ook afsluitprovisie en taxatiekosten. U bent al snel een paar duizend euro kwijt. Door deze extra kosten is uw onderhandelingspositie ten opzichte van uw huidige geldverstrekker zwak. Ondanks het feit dat de kosten fiscaal aftrekbaar zijn, is het namelijk zeer de vraag of u deze terugverdient bij de concurrent.

Andere geldverstrekker/verzekeraar

Bemiddelaars kunnen de renteherziening aangrijpen om u een compleet andere hypotheek te adviseren, liefst bij een andere geldverstrekker of verzekeraar. Dat wil zeggen: de lening en de levensverzekering beëindigen en ergens anders opnieuw beginnen. Het overstappen naar een andere geldverstrekker of verzekeraar betekent voor u allerlei kosten:

- hypotheekaktekosten;
- afkoopkosten van de levensverzekering;
- taxatiekosten;
- afsluitprovisie;
- bemiddelingskosten.

Het is niet zeker of u deze kosten terugverdient met een lagere netto last. Daarnaast kan het oversluiten van de verzekering voor u vergaande nadelige gevolgen hebben vanwege de fiscale regels. Informeer en onderhandel eerst bij uw huidige geldverstrekker.

7 4 Verbouwing financieren

Het kan om een aantal fiscale redenen aantrekkelijker zijn om een verbouwing te financieren met een lening, ook al beschikt u over eigen geld in de vorm van spaar- en/of beleggingstegoeden. Bij uw afweging is het verstandig een aantal aspecten mee te nemen, zoals:

- het rendement dat u behaalt op uw eigen geld;
- het percentage van uw belastingteruggave;
- de hoogte van de rente;
- eventuele toekomstige bestedingen.

Bij welke geldverstrekker?

U kunt het beste bij uw huidige hypotheekverstrekker informeren of u geld kunt opnemen uit uw lopende hypotheek zonder dat u daarvoor opnieuw naar de notaris moet.

Soms kunt u eerder gedane aflossingen weer opnemen. Of dat mogelijk is, hangt af van de hypotheekakte. Hebt u niets afgelost, dan valt er niets op te nemen (dit kan bijvoorbeeld het geval zijn bij een hypotheek met een gekoppelde verzekering).

Als u uw hypotheek destijds voor een hoger bedrag hebt laten inschrijven, dan kunt u het verschil tussen beide bedragen opnemen, mits uw inkomen en de waarde van de woning toereikend is. U kunt dan via een onderhandse akte opnieuw geld lenen bij uw geldverstrekker met als onderpand uw woning, zonder dat u hiervoor opnieuw naar de notaris hoeft. Vaak is er dan wel een taxatierapport nodig.

Tip: Nationale Hypotheek Garantie (NHG)

Als u de kwaliteit van uw woning verbetert, kunt u voor de nieuwe of extra hypotheek Nationale Hypotheek Garantie (NHG) aanvragen. Bij kwaliteitsverbetering kunt u denken aan het treffen van voorzieningen in verband met herstel van achterstallig onderhoud, verbetering en/of uitbreiding van uw woning.
U kunt een aanvullende hypotheek afsluiten. U verhoogt dan uw huidige hypotheek met het benodigde bedrag voor de verbouwing. U kunt ook een totaal nieuwe hypotheek afsluiten. Voor het verkrijgen van NHG moeten de kosten van de kwaliteitsverbetering blijken uit een taxatierapport, een bouwkundig rapport en/of een specificatie van de kosten (bijvoorbeeld een offerte van een aannemer).
Houd er wel rekening mee dat de totale hypotheek niet hoger mag zijn dan € 265.000,- (2009). Voor meer informatie over NHG zie *www.nhg.nl* of §1.8.

Als blijkt dat bovenstaande opties niet mogelijk zijn, dan kunt u de verbouwing op de volgende manieren financieren:

- U kunt de bestaande hypotheek verhogen. De notariskosten hiervan kunnen hoger zijn dan van een tweede hypotheek. En er kan een taxatierapport nodig zijn.
- U kunt een tweede (derde, vierde, enzovoort) hypotheek bij uw huidige geldverstrekker afsluiten. Een tweede hypotheek is meestal voordeliger bij uw huidige geldverstrekker. Andere geldverstrekkers geven minder snel een tweede hypotheek, omdat zij dan een groter risico lopen. Als ze het wel doen, hebt u vaak te maken met een lagere maximale hypotheek en met een renteopslag.
- U kunt een doorlopend krediet (DK) of een persoonlijke lening (PL) afsluiten. Deze optie is interessant als u overweegt om uw lening binnen 5 of 10 jaar weer af te lossen. U betaalt wel een hogere rente dan bij een hypotheek. Maar omdat u niet te maken hebt met afsluitkosten (zoals afsluitprovisie, hypotheekaktekosten en taxatiekosten) kan een doorlopend krediet of een persoonlijke lening over de gehele looptijd toch goedkoper zijn. Net als bij een hypotheek is de betaalde rente aftrekbaar, als u de lening afsluit in verband met de verbouwing of verbetering van uw woning. Een bijkomend voordeel is dat de lening in veel gevallen vervalt als u voortijdig komt te overlijden. Dit in tegenstelling tot een hypotheek waarvoor u een aparte overlijdensrisicoverzekering moet afsluiten.

Laat uw adviseur doorrekenen welke leningsvorm voor u de beste optie is.

Tip: hogere inschrijving

Als u de verbouwing financiert met een hypotheek, dan kunt u aan de geldverstrekker vragen of u de hypotheek hoger kunt laten inschrijven dan nodig is voor de huidige verbouwing. Zo creëert u een financiële ruimte voor de toekomst. Dat is prettig als u later geld nodig hebt voor bijvoorbeeld de tuin of de volgende verbouwingsronde. U betaalt daarvoor nú iets meer notariskosten, maar op het moment dat u het geld wilt opnemen hoeft u deze kosten niet opnieuw te maken. Dat scheelt al gauw enkele honderden euro's. U kunt hiervoor gebruikmaken van Eigen Huis Notarisservice. U kunt zich aanmelden via *www.eigenhuis.nl/notarisservice*

Verbouwingsdepot

Als u leent voor een verbouwing, kan het zijn dat de geldverstrekker het geld in een verbouwingsdepot stort. Dit komt vooral voor als de totale lening uitkomt boven de 125% van de executiewaarde (EW) van het huis vóór de verbouwing (zie ook §1.3). De geldverstrekker wil namelijk niet het risico lopen dat hij het geld uitbetaalt en u uiteindelijk niet verbouwt. Het geld wordt daarom op een soort van spaarrekening gestort, het verbouwingsdepot. Over het depot krijgt u een spaarrente vergoed. Deze is vaak gelijk aan uw hypotheekrente of 1% lager. U vindt een aantal overzichten op *www.eigenhuis.nl/wegwijzerhypotheekvoorwaardenextra* meer informatie over de rentevergoeding over het verbouwingsdepot van geldverstrekkers.

Let op

In veel gevallen is een bouwdepot voor een nieuwbouwwoning 24 maanden geldig. Het kan zijn dat de bouw vertraging oploopt en het bouwdepot moet worden verlengd. Geef dit tijdig aan bij uw adviseur of geldverstrekker om tot een oplossing te komen. Het is mogelijk dat u na 24 maanden geen rentevergoeding meer krijgt.

Informeer bij uw geldverstrekker of een gedeelte van het verbouwingsdepot op een lopende rekening kan worden gestort. Zo hebt u werkkapitaal voor de verbouwing. U hoeft dan niet voor iedere uitgave naar de bank te stappen met het verzoek uit te betalen. Zodra het werkkapitaal op is, toont u aan dat een bepaald gedeelte van de verbouwing is gerealiseerd, waarna u nieuw werkkapitaal aanvraagt.

Verstandig verbouwen

Verbouwen is een aantrekkelijk alternatief voor verhuizen. Zeker als uw huidige woning nog goed bevalt of als u niet weg wilt van uw vertrouwde stek. De uitgave *Verstandig verbouwen* geeft u alle informatie om goed voorbereid aan de slag te kunnen. Een verbouwing is immers een intensieve klus, waar veel bij komt kijken. Kijk voor een uitgebreide inhoudsopgave op *www.eigenhuis.nl/boeken*
De prijs voor leden bedraagt € 11,50. De normale prijs is € 14,50.

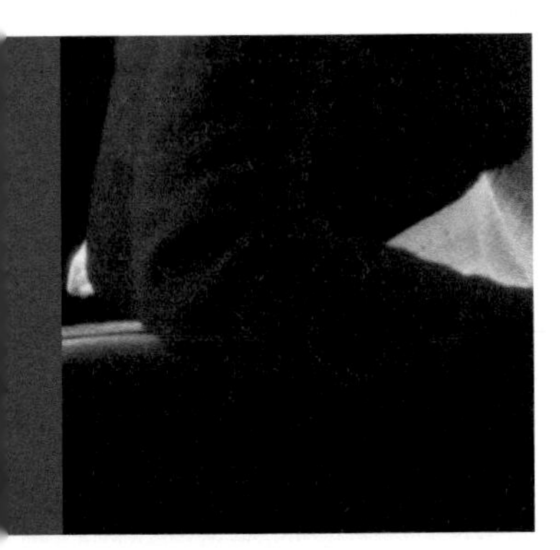

7.5 Overwaarde inzetten

Overwaarde op uw huis betekent dat uw huis meer waard is (geworden) dan de hypotheek die daar nog op rust. Omdat u op de schuld aflost of omdat de marktwaarde van de woning stijgt, ontstaat een 'stille' financiële reserve. U kunt deze op twee manieren inzetten:

- renteopslagen laten vervallen;
- overwaarde te gelde maken.

Aantonen van de overwaarde

U kunt de overwaarde aantonen door middel van een taxatierapport. Voordat u geld investeert in een taxatie is het verstandig om drie dingen uit te zoeken:

- Kijk in de Algemene Voorwaarden van de hypotheek of vraag de adviseur of de renteopslag kan vervallen.
- Vraag een adviseur om te berekenen wat het netto lastenvoordeel is, als u de overwaarde gebruikt om renteopslagen te laten vervallen.
- Zoek eerst uit of uw geldverstrekker het wel nodig vindt om een volledige taxatie te laten uitvoeren.

Er zijn alternatieven.

- U hebt nog een taxatierapport van minder dan een jaar geleden. Informeer bij uw geldverstrekker of u dit mag gebruiken.
- Bij 'een behoorlijke' overwaarde zijn sommige geldverstrekkers (vooral banken) bereid om zelf de waarde van uw huis te bepalen. Informeer hiernaar bij uw geldverstrekker.
- Informeer bij uw geldverstrekker of u de woz-waarde mag gebruiken om de waarde van uw huis aan te tonen.
- Als u toch een taxatierapport nodig hebt, kunt u als lid hiervoor gebruikmaken van Eigen Huis Taxatieservice tegen een aantrekkelijk tarief.
  Via *www.eigenhuis.nl/taxatieservice* kunt u zich aanmelden.

Renteopslagen laten vervallen

Hebt u geen Nationale Hypotheek Garantie op uw lopende hypotheek en hebt u weinig of geen eigen geld ingebracht bij de koop van het huis, dan kan uw rente wellicht 0,1% tot 0,5% omlaag. Dit kan omdat het verschil tussen het geleende bedrag en de waarde van uw woning groter is geworden. Toen u de hypotheek afsloot (zonder garantie), bekeek uw geldverstrekker hoeveel risico hij liep over uw lening. Hoe meer u leende ten opzichte van de waarde van het huis, hoe meer risico voor de geldverstrekker, hoe hoger ook uw rente (de zogenaamde topopslag of renteopslag zie §3.2). Informeer bij uw geldverstrekker of u een topopslag op uw rente hebt en zo ja, hoe hoog deze is en wanneer deze (deels) kan vervallen.

Sommige geldverstrekkers laten de topopslag pas vervallen op de dag dat uw rentevaste periode afloopt. U moet meestal zelf in actie komen en de waarde van uw huis aantonen. De kosten van een eventueel taxatierapport voor de financiering zijn fiscaal aftrekbaar. Bij een enkele geldverstrekker is het vervallen van de topopslag bij waardestijging van het huis helemaal niet mogelijk. Dit kunt u nalezen in de hypotheekvoorwaarden van uw hypotheek.

Bij de spaarhypotheek of de spaarvariant van de spaarbeleggingshypotheek is uw voordeel van een lagere hypotheekrente beperkt. Want als uw hypotheekrente daalt, daalt uw spaarrente mee. Uw spaarrente is namelijk rechtstreeks gekoppeld aan uw hypotheekrente: bij een lagere spaarrente gaat uw spaarpremie dus omhoog. Hoe die koppeling precies werkt leest u in §2.7.

Overwaarde opnemen

De overwaarde kunt u ook te gelde maken zonder uw huis te verkopen. U sluit een (extra) lening met de overwaarde van uw woning als onderpand. U moet dan met een taxatierapport aantonen wat de waarde van de woning is. Eventueel kan dat ook met de WOZ-waarde. Ook zal uw inkomen getoetst worden om te kijken of dit toereikend is voor de extra hypotheek. Bij het opnemen van de overwaarde loopt de geldverstrekker een hoger risico. De rente van de lopende hypotheek kan daarom verhoogd worden met 0,1 tot 0,5%. Dit is niet het geval als u een lening met NHG hebt.

Op welke manier u de overwaarde ook te gelde maakt, u kunt te maken krijgen met fiscale consequenties. In §8.3 leest u wanneer u de rente kunt aftrekken op uw aangifte inkomstenbelasting.

Huis en overwaarde

Er zit meer vermogen in uw huis dan u denkt. Haalt u dat eruit of laat u het juist zitten? Hoe zorgt u ervoor dat het dan bij de juiste erfgenamen terechtkomt. Het ligt voor de hand om naar een huurwoning te verhuizen om zo het vermogen in uw huis vrij te maken. Maar hebt u wel eens gedacht aan de mogelijkheid om huurder van uw huidige koophuis te worden? En wat gaat u doen met het geld? Schenken aan de (klein-)kinderen of besteden aan een vakantie, een nieuwe keuken of misschien wel een vakantiehuis in Frankrijk. In *Huis en overwaarde* staan alle mogelijkheden overzichtelijk op een rij. Compleet met alle fiscale, erfrechtelijke en successierechtelijke consequenties van uw keuze. De prijs voor leden is € 11,50. De normale prijs is € 14,50. Ga naar *www.eigenhuis.nl/boeken* voor meer informatie.

Tip: verkopen en terughuren

Een alternatief om uw overwaarde (grotendeels) uitgekeerd te krijgen maar niet te hoeven verhuizen, is uw huis aan een instantie te verkopen en het terug te huren. U bent dan ook van het onderhoud af. Laat u goed voorlichten over de voor- en nadelen en vergelijk de aanbiedingen. Zie ook *www.eigenhuis.nl/verzilverdwonen*

---

6 Geld over

Een luxe situatie: u houdt of hebt geld over. De hypotheek biedt u dan twee mogelijkheden om uw eigen geld opzij te zetten: extra premiestorten (bij een levenhypotheek) of inleggen (bij een bankspaarhypotheek) of aflossen. Maar houd er dan wel rekening mee, dat u in principe voor langere tijd niet meer vrij over dat geld kunt beschikken.

Extra premie storten

Extra premiestortingen kunnen, afhankelijk van de mogelijkheden die uw geldverstrekker en/of verzekeraar biedt, leiden tot een hogere einduitkering, premieverlaging of looptijdverkorting. Bij spaarhypotheken is het overigens gebruikelijk dat de vervolgpremies zoveel mogelijk (binnen de fiscale grenzen) worden verlaagd. Kiest u voor looptijdverkorting let dan op het volgende. De fiscus gaat ervan uit dat u de uitkering uit een box 1 levensverzekering gebruikt voor de aflossing van de schuld. Dat 'verplicht' u om de uitkering inderdaad hiervoor te gebruiken. Vanaf het moment van aflossing hebt u over dat deel geen renteaftrek meer.

Bij voortijdig overlijden is het mogelijk dat u de extra premiestorting kwijt bent, omdat bij overlijden het bedrag wordt uitgekeerd dat bij het afsluiten van de verzekering is vastgesteld.
Hierbij is geen rekening gehouden met de effecten van een extra premiestorting. Let op: extra premiestorten kan fiscaal nadelig uitpakken (zie §8.5). Uw levensverzekering moet namelijk wel aan een aantal fiscale voorwaarden voldoen.

Ook bij een bankspaarhypotheek is het mogelijk om extra geld in te leggen, afhankelijk van de voorwaarden en ook weer binnen de fiscale grenzen. Die kunt u nalezen in §8.6.

Extra aflossen

Aflossen kan bij iedere hypotheekvorm en 'levert' ook iets op: u bespaart hypotheekrente. Aflossen op een hypotheekdeel waarover u geen renteaftrek hebt, is een goede investering. Over het algemeen geldt: los niet af zolang uw eigen geld netto meer oplevert (bijvoorbeeld wanneer u uw eigen geld op een spaarrekening zet) dan u netto zou besparen door af te lossen. Daarnaast moet u ermee rekening houden dat uw geldverstrekker akkoord moet gaan als u de aflossing tussentijds weer wilt opnemen. Ook extra aflossen heeft fiscale consequenties, met name als u een levensverzekering hebt in box 1 (zie §8.5).

Informeer bij uw geldverstrekker

Onder welke voorwaarden u extra premie kunt storten en boetevrij kunt aflossen, kunt u bij uw geldverstrekker navragen. Dit moet in iedere individuele situatie apart bekeken worden.

7 Maandlasten verlagen

Er zijn vele manieren om lagere maandlasten te bereiken. Uw keuze is mede afhankelijk van de mogelijkheden die uw geldverstrekker biedt, de overwaarde die al dan niet in het huis zit en de fiscale regels. In deze paragraaf behandelen we de volgende mogelijkheden:

- rentemiddeling;
- oversluiten met een boete;
- de hypotheek aflossingsvrij of premievrij maken;
- verlengen van de looptijd;
- rente bijschrijven.

Hypotheekadviseurs kunnen uw wens voor lastenverlichting aangrijpen om uw hypotheek volledig open te breken. De lening en de verzekering worden dan meestal bij andere partijen ondergebracht. De adviseurs ontvangen opnieuw provisie of bemiddelingskosten. Maar u betaalt altijd: de boete voor vervroegd aflossen, de kosten van een nieuwe hypotheekakte, taxatiekosten, enzovoort. Deze kosten worden dan vaak meegefinancierd en zult u later toch moeten terugbetalen. Of deze overstap in uw belang is, valt te bezien. Informeer eerst naar de mogelijkheden bij uw huidige geldverstrekker.

Tip: aflossen op niet-hypothecaire leningen

Hebt u geld over en wilt u aflossen, los dan eerst af op bijvoorbeeld een persoonlijke lening of doorlopend krediet. De rente van deze niet-hypothecaire leningen is meestal hoger dan die van hypotheken. Als u het geleende geld hebt gebruikt voor consumptieve doeleinden, dan is de betaalde rente niet aftrekbaar. Aflossen heeft dan zeker zin.
Hebt u een hypothecaire lening waarvan een deel niet is gebruikt voor de eigen woning, dan is de rente over dat deel niet aftrekbaar. Het is verstandig om eerst dat deel van de lening af te lossen. Leden van Vereniging Eigen Huis met een aflossingsvrije hypotheek kunnen op *www.eigenhuis.nl/aflossen* berekenen of aflossen voor hen voordelig is.

Rentemiddeling

Rentemiddeling is een manier om zonder boete gebruik te maken van een lage marktrente en tegelijk voor meer zekerheid te kiezen door de rente langer vast te zetten. Zeker als u verwacht dat de rente zal stijgen, is rentemiddeling een goed alternatief. Verwacht u echter een daling, dan kunt u beter wachten, bijvoorbeeld tot de reguliere renteherzieningsdatum.
Rentemiddeling is overigens slechts bij enkele geldverstrekkers mogelijk. Daar waar dat kan, moet u zelf het initiatief nemen.

Bij een spaarhypotheek of spaarbeleggingshypotheek (spaarvariant) heeft rentemiddeling de voorkeur boven beboet oversluiten naar de lagere dagrente (zie hierna) en soms is voortzetting tegen de hogere rente zelfs het beste. Bij een lagere aftrekbare rente betaalt u immers een hogere niet-aftrekbare spaarpremie.

Rentemiddeling houdt in dat uw rente van de resterende rentevaste periode wordt gemiddeld met de lagere dagrente van een nieuwe rentevaste periode. Naarmate uw reguliere renteherzieningsdatum dichterbij komt, is de middelrente lager.
Stel, u betaalt 7,5% (rente tien jaar vast). U wilt na zeven jaar middelen. Op dat moment bedraagt de actuele rente voor tien jaar vast 5,2% (dagrente). U zou nog drie jaar 7,5% moeten betalen. De middelrente wordt als volgt berekend: 3 jaar x 7,5% + 7 jaar x 5,2% gedeeld door 10 jaar, en bedraagt dan 5,9%.

Er zijn echter geldverstrekkers die de middelrente op een heel andere manier berekenen. Zij gaan uit van de boete die u zou moeten betalen als u naar de lagere dagrente zou oversluiten (zie hierna). Deze boete wordt vervolgens 'vertaald' naar een renteopslag gedurende de nieuwe rentevaste periode. U betaalt op die manier dus uw eigen rentevoordeel. Ook al hebt u dan geen financieel voordeel meer, u hebt zo wel de zekerheid voor een langere rentevaste periode.
Sommige geldverstrekkers staan middeling alleen toe als u de hypotheek verhoogt. Hebt u geen geld nodig en wordt u verplicht uw hypotheek te verhogen met tussenkomst van een notaris, dan heeft rentemiddeling vaak weinig zin.

Een aantal van de geldverstrekkers die bereid zijn de rente te middelen, berekent daarvoor kosten. Deze zijn aftrekbaar en bedragen niet meer dan een paar honderd euro.

Oversluiten naar lagere dagrente (met boete)

Door over te sluiten naar een lagere dagrente 'koopt' u de zekerheid van een lagere maandlast voor de toekomst. De rente die op dat moment voor uw hypotheek geldt, wordt vóór het verstrijken van de rentevaste periode beëindigd en vervangen door de lagere dagrente met een nieuwe, langere rentevaste periode (bijvoorbeeld 10 of 15 jaar). Gedurende de nieuwe rentevaste periode hebt u het voordeel van vaste, lagere maandlasten. Daar staat tegenover dat u een boete moet betalen wegens vervroegde aflossing over het resterende deel van uw oude rentevaste periode. De boete is meestal zo bepaald dat u in die resterende periode per saldo geen financieel voordeel hebt en er mogelijk zelfs bij inschiet. Hoeveel u erbij inschiet, is afhankelijk van de boetebepalingen in uw hypotheekcontract. Het gaat dan voornamelijk om het verschil tussen oude en nieuwe rente, de resterende rentevaste periode en de hoogte van het boetevrije deel. Vraag daarom altijd een deskundig en objectief advies over het oversluiten van uw hypotheek en laat de netto kosten zorgvuldig doorrekenen. Zet deze kosten af tegen de zekerheid die u daarvoor koopt.

De keuze voor zekerheid is het belangrijkste motief om uw hypotheek over te sluiten. Een eventueel financieel voordeel kan ontstaan als achteraf blijkt dat op de datum waarop uw oude rente oorspronkelijk zou worden herzien, de dagrente aanzienlijk hoger is dan de rente waartegen u eerder hebt overgesloten. Ook een wijziging in uw persoonlijke situatie tijdens de looptijd van uw hypotheek kan uw behoefte aan zekerheid vergroten.

Oversluiten heeft over het algemeen alleen zin als u hooguit nog enkele jaren hebt te gaan met de huidige rentevaste periode (maximaal 2-3 jaar). Is de resterende rentevaste periode langer, dan is de boete die u krijgt groter en het voordeel van extra zekerheid kleiner. Naarmate u nog langer te gaan hebt tot de eerstvolgende renteherziening, is oversluiten dus minder aantrekkelijk. Op *www.eigenhuis.nl/boetebijoversluiten* kunt u met de rekenmodule berekenen of oversluiten interessant is voor u.
De boete bij oversluiten is fiscaal aftrekbaar. Als u de boete niet met eigen geld betaalt, maar meefinanciert, is de rente over deze extra lening niet aftrekbaar (zie §8.3).

Alleen als een deel van de lening buiten de boeteberekening blijft, is een rentevoordeel mogelijk. Doorgaans is 10% van de oorspronkelijke totale hoofdsom (of van het betreffende leningdeel) boetevrij aflosbaar. Dat wordt dan van de schuldrest afgehaald voor de bepaling van het bedrag waarover de boete wordt berekend. Daarnaast blijft bij sommige geldverstrekkers uw spaarsaldo in de levensverzekering buiten de boeteberekening.
Dit betekent dat de waarde van het gespaarde bedrag in de levensverzekering op de lening in mindering wordt gebracht, voordat de boete wordt berekend over de resterende lening. De boete wordt op die manier over een lager bedrag berekend. Het belang van deze laatste bepaling neemt toe naarmate u meer hebt gespaard in de levensverzekering. Er zijn ook geldverstrekkers die altijd een minimumboete hanteren, bijvoorbeeld een aantal maanden rente. Dat kan nadelig zijn. Een ander nadelig aspect kan zijn, dat u behalve de boete nog extra kosten moet betalen. Deze kosten kunnen fiscaal aftrekbaar zijn (zie §8.3).

Voorbeeld boete bij oversluiten

U betaalt 7,5% rente (tien jaar vast) en u wilt aflossen of oversluiten na zeven jaar. Stel dat de actuele rente voor tien jaar vast op dat moment 6,5% bedraagt (= dagrente). Door uw oversluiting verliest de geldverstrekker 1% (7,5% min 6,5%) over drie jaar. De boete wordt 1% x drie jaar = 3% over het over te sluiten hypotheekbedrag.
Er zijn ook geldverstrekkers die de boete (contante waarde) ongunstig berekenen. Zij vergelijken uw contractrente niet met de dagrente van een soortgelijke lening (dus in dit geval tien jaar vast: 6,5%) maar met de dagrente die hoort bij de resterende rentevaste periode. Stel dat de dagrente voor drie jaar vast 4,5% is (hoe korter de rentevaste periode hoe lager het percentage), dan wordt uw boete geen 3% maar 3% x 3 = 9%. Bij het oversluiten van de hypotheek kan de boete zo al snel duizenden euro's hoger uitpakken.

Oversluiten bij spaarhypotheek minder aantrekkelijk

Een spaarhypotheek heeft een ingebouwde 'rentedempende' werking (zie §2.7) die sterker werkt naarmate de hypotheek langer loopt, omdat dan het opgebouwde spaarkapitaal groter is. Als de looptijd van de spaarhypotheek al wat verder verstreken is, zal het effect van een renteverandering een groter effect op de premie hebben dan aan het begin van de looptijd. Bij een rentedaling zal de premie harder stijgen. Het is dan ook de vraag of oversluiten naar een lagere dagrente zin heeft.

De hypotheek aflossingsvrij of premievrij maken

Bij vrijwel alle geldverstrekkers kunt u een lopende annuïteiten- of lineaire hypotheek geheel of gedeeltelijk aflossingsvrij maken, afhankelijk van de waarde van de woning en de hoogte van uw totale hypotheek. Een uitleg van deze hypotheekvormen kunt u lezen in §2.7.

Ook een hypotheek op basis van een levensverzekering, kunt u aflossingsvrij maken. Dat is wat anders dan premievrij maken zoals hierna wordt beschreven. Bij aflossingsvrij maken, beëindigt u de aan de hypotheek verbonden levensverzekering: u koopt hem af. Met de afkoopwaarde wordt een deel van de hypotheek afgelost – soms tegen betaling van een boete! – en wordt het restant van de lening aflossingsvrij gemaakt.

Houd wel de volgende zaken in de gaten:

- De fiscale regels zijn hierbij belangrijk; meer daarover kunt u lezen in hoofdstuk 8.
- Met de afkoop van de levensverzekering op basis van beleggingen kunnen hoge afkoopkosten in rekening worden gebracht.
- Met het afkopen van de levensverzekering beëindigt u ook de overlijdensrisicoverzekering.

De hypotheek op basis van een levensverzekering premievrij maken

Bij een hypotheek op basis van een levensverzekering betaalt u rente en premie. Maakt u de verzekering premievrij, dan betaalt u alleen nog rente. Het opgebouwde vermogen in de levensverzekering rendeert verder, maar omdat u geen premie meer betaalt, spaart u minder: een hogere schuldrest aan het einde van de looptijd is het gevolg. Let erop dat u de polis niet vóór het vijftiende of twintigste jaar premievrij maakt in verband met fiscale regels. Meer daarover kunt u lezen in §8.5.

Looptijd verlengen

Hoe langer u over de aflossing doet, hoe minder u per maand hoeft af te lossen. Dat geldt ook voor alle hypotheken op basis van een levensverzekering. Maar looptijdverlenging geeft niet zo veel verlichting in de maandlasten, terwijl u op termijn er wel een hoge prijs voor moet betalen. U moet namelijk langer rente betalen. Als de overlijdensrisicoverzekering ook langer loopt, moet u hiervoor meer premie betalen. Voor alle veranderingen aan de levensverzekering moet u de fiscale regels goed in de gaten houden. Dat geldt zeker ook voor looptijdverlening. (Zie ook §8.5.)

Rente bijschrijven

Sommige geldverstrekkers bieden u de mogelijkheid om de te betalen hypotheekrente (deels) bij uw hypotheekschuld te laten bijschrijven. Hierdoor neemt uw schuld toe en hebt u geen (of lagere) maandelijkse lasten. Deze vorm is alleen mogelijk indien u beschikt over een ruime overwaarde. Immers door de schuldbijschrijving neemt uw overwaarde af. Uiteindelijk kan zich een moment voordoen dat u geen ruimte meer hebt om uw rente bij te laten schrijven. Vanaf dat moment dient u de rente (over de inmiddels gegroeide schuld) weer uit uw eigen middelen te gaan betalen. De rente over de bijgeschreven rente is fiscaal niet aftrekbaar in box 1.

7 8 Scheiding

Bij (echt)scheiding is het van groot belang dat u alles in één keer verrekent, ook het huis. Samen het huis aanhouden terwijl één van de twee er niet meer in woont, wordt uitermate kostbaar omdat de renteaftrek dan na bepaalde tijd gedeeltelijk vervalt. De rente is namelijk alleen aftrekbaar voorzover die wordt betaald door de eigenaar/bewoner en alleen voor het deel van diens aandeel in de schuld. De eigenaar/niet-bewoner heeft gedurende maximaal twee jaar na het verlaten van de woning renteaftrek.

Het huis in één keer verrekenen betekent: de ander uitkopen of het hele huis verkopen. Koopt de één de ander uit door middel van een hypotheekverhoging, dan is de rente over dit extra leningdeel aftrekbaar, want de bewoner is dan tevens volledig eigenaar. Het huis moet worden verkocht als uitkopen niet tot de mogelijkheden behoort. Dit kan zijn omdat de hypotheek op twee inkomens is gebaseerd of omdat de waarde van het huis te veel is gestegen, zodat de één de ander niet kan uitkopen.

Bij verkoop komt de overwaarde vrij en deze moet onderling worden verdeeld. Ook wordt de hypotheek dan afgelost. Beide ex-partners zijn dan vrij om een eigen hypotheek af te sluiten voor de volgende eigen woning. Zie hoofdstuk 8 voor een eventuele beperking van de duur van de renteaftrek. Daarnaast krijgt u te maken met de fiscale gevolgen van de bijleenregeling. Wanneer er tijdelijk twee eigen woningen zijn, wordt de eigenwoningschuld op de nieuwe woning alsnog bijgesteld op het moment dat de overwaarde uit de oude woning vrijkomt.

Scheiding en levensverzekering

Hebt u een hypotheek met een daaraan gekoppelde levensverzekering en was u samen eigenaar van het huis, dan moet u ook het opgebouwde vermogen binnen de levensverzekering verrekenen. Vraag bij afkoop de afkoopwaarde bij uw verzekeraar op.
In het kader van een verdeling van de boedel naar aanleiding van een echtscheiding mogen levensverzekeringen over het algemeen zonder fiscale boetes onder de ex-partners worden verdeeld.

Huis verkopen

Als het huis op naam van u beiden staat, dan moet u in principe allebei akkoord zijn met de verkoop. Als één van beiden niet akkoord is, dan kan de rechter verkoop of verdeling opleggen. In het uiterste geval wordt het huis op een openbare veiling verkocht. De opbrengst van zo'n verkoop is vaak lager dan bij een normale verkoop en aan een verkoop via een veiling zijn bovendien hoge kosten verbonden. Het is daarom verstandig dat beide partners aan de verkoop meewerken.

Eén van de partners neemt het huis over

Bent u beiden eigenaar, dan zult u de eventuele overwaarde in het huis onderling moeten verrekenen. Voor de overname kunt u eigen geld of andere bezittingen gebruiken of u verhoogt de hypotheek. In het laatste geval beoordeelt uw geldverstrekker of uw inkomen toereikend is om de lopende hypotheek over te nemen én om de extra hypotheek te betalen. Bent u gehuwd, dan zal de geldverstrekker het echtscheidingsconvenant afwachten, zeker als er sprake is van alimentatie. Alimentatie aan kinderen heeft over het algemeen geen invloed op uw leencapaciteit. U hebt namelijk altijd kosten aan de kinderen: of u nu samenwoont of niet. Alimentatie aan uw ex-partner heeft echter wel invloed op het bedrag dat u maximaal kunt lenen. Dit geldt zowel voor de betalende als de ontvangende partij.

Als u het eigendomsdeel van uw partner overneemt, dan zal er altijd een nieuwe eigendomsakte moeten worden opgemaakt. Hiervoor moet u naar de notaris. Om de hypotheek over te nemen is een hele nieuwe hypotheekakte in principe niet nodig. Doorgaans regelt de geldverstrekker dit onderhands met u.

Als u extra hypotheek nodig hebt voor de onderlinge verrekening, dan zult u waarschijnlijk een nieuwe hypotheekakte nodig hebben. Als u geen Nationale Hypotheek Garantie hebt, dan kunt u bij de geldverstrekker of bemiddelaar informeren of u daarvoor alsnog in aanmerking komt. Bij een nieuwe of een aanvullende hypotheek kunt u in geval van (echt)scheiding namelijk NHG aanvragen.

Uit elkaar en een eigen huis

U hebt samen een huis en u gaat uit elkaar. Hoe gaat dat in zijn werk en wat moet u zeker niet vergeten? In de webpublicatie *Uit elkaar en een eigen huis* worden de volgende onderwerpen behandeld:

- Wie blijft er in het huis?
- Een nieuwe hypotheek.
- Recht op ouderdomspensioen.
- Het aanpassen van verzekeringen en het testament.

De prijs van deze webpublicatie is € 3,95 voor leden. De normale prijs is € 5,50. Ga naar *www.eigenhuis.nl/webpublicaties* voor meer informatie of om de webpublicatie te downloaden.

7 9 Samenvatting

Na de koop van het huis hebben de meeste mensen het liefst geen omkijken meer naar hun hypotheek. Toch zijn er momenten dat het verstandig is de financiering van uw woning weer onder de loep te nemen:

- Als u klachten hebt in verband met uw hypotheek.
- Aan het einde van uw rentevaste periode.
- Als u wilt verbouwen en dit niet met eigen geld betaalt.
- Als blijkt dat u een overwaarde hebt, en hier iets mee wilt doen.
- Als u geld over hebt en dat voor de hypotheek wil gebruiken.
- Als u uw maandlasten wilt verlagen.
- Bij echtscheiding.

8 Fiscale aspecten van de hypotheek

Een hypotheek is niet los te zien van allerlei fiscale regels. Het is goed om te weten wanneer uw hypotheek daar wel of niet onder valt. Dat kan veel geld schelen. In dit hoofdstuk vindt u een overzicht van alle fiscale aspecten die bij een hypotheek komen kijken.

8 1 Zo werkt het belastingstelsel

Als woningbezitter wilt u optimaal profiteren van de fiscale regels rondom het eigen huis. Daarom is het allereerst zaak om te begrijpen hoe ons belastingstelsel werkt. Sinds 2001 is er sprake van het boxenstelsel.

Drie boxen

Het Nederlandse belastingstelsel onderscheidt drie categorieën van inkomen. Elke categorie is ondergebracht in een aparte box en elke box heeft zijn eigen tarief en regels. Dit wordt ook wel het boxenstelsel genoemd. De volgende drie boxen worden onderscheiden:

- Box 1: inkomen uit werk en woning;
- Box 2: inkomen uit aanmerkelijk belang;
- Box 3: inkomen uit sparen en beleggen (bezittingen minus de schulden).

Uitgangspunt van de belastingheffing is dat u betaalt over de inkomsten en het vermogen waar u 'beter' van wordt. De stelregel daarbij is dat als een inkomen in één box wordt belast, het niet meer belast kan worden in een andere box. Op deze manier kan er geen sprake zijn van dubbele belastingheffing. Uw inboedel (bijvoorbeeld uw bank, tafel of stereo) en andere zaken voor dagelijks gebruik (bijvoorbeeld uw fiets) zijn vrijgesteld van belastingheffing.

Het boxenstelsel omvat verder nog de zogeheten persoonsgebonden aftrek. Daarnaast geldt voor iedereen een zogenoemde 'heffingskorting' die in mindering wordt gebracht op de verschuldigde belasting. De korting is niet overdraagbaar op uw partner. Partners zonder of met een laag inkomen kunnen de korting rechtstreeks uitbetaald krijgen van de fiscus, voorzover de 'kostwinner' belasting is verschuldigd.

Box 1

Uw inkomen en uw eigen woning (uw hoofdverblijf) worden in box 1 belast. U betaalt belasting over het eigenwoningforfait. De (hypotheek)rente die u betaalt in verband met de aanschaf, onderhoud of verbetering van de eigen woning (hoofdverblijf), is vaak aftrekbaar. De duur van de aftrek is beperkt tot dertig jaar. Hebt u een woning die op erfpachtgrond staat, dan kunt u de periodieke erfpachtcanon aftrekken van uw inkomstenbelasting. Dat geldt echter niet als de erfpacht voor langere tijd is afgekocht. Financiert u het afkoopbedrag mee in uw hypotheek, dan is de rente over dat deel aftrekbaar. De bovenstaande regels die van toepassing zijn als uw eigen huis in box 1 valt, worden samen de eigenwoningregeling genoemd.

In box 1 gelden de volgende belastingtarieven:

Inkomen			Jonger dan 65 jaar	65 jaar en ouder
€ 0,-	–	€ 17.878,-	33,50%	15,60%
€ 17.878,-	–	€ 32.127,-	42%	24,10%
€ 32.127,-	–	€ 54.776,-	42%	42%
€ 54.776,-		en hoger	52%	52%

Deze tarieven bepalen mede de hoogte van uw hypotheekrenteaftrek.

Box 2

Hiermee krijgt u, kort gezegd, te maken als u meer dan 5% van de aandelen van een BV of een vergelijkbare rechtspersoon bezit (u hebt een 'aanmerkelijk belang'). Box 2 laten we hier verder buiten beschouwing.

Box 3

In box 3 worden uw bezittingen (uw vermogen) ondergebracht, voorzover deze nog niet in box 1 en 2 in de belastingheffing zijn betrokken. Ook eventuele schulden waarmee in box 1 en 2 nog geen rekening is gehouden, worden in box 3 ondergebracht.
U betaalt 30% belasting over het fictief rendement van 4% op uw vermogen. Dit betekent dat u per saldo 1,2% belasting betaalt over uw vermogen. Dit heet de vermogensrendementsheffing. Uw gemiddelde vermogenssaldo wordt berekend door uw vermogen op 1 januari en 31 december op te tellen en daarna door twee te delen.

In box 3 geldt een algemene vrijstelling van € 20.661,- per belastingplichtige (mogelijk verhoogd met een toeslag per kind en/of de ouderentoeslag). Binnen box 3 zijn roerende goederen voor eigen gebruik, zoals een auto of inboedel, vrijgesteld van belastingheffing. Er geldt een aparte vrijstelling voor 'maatschappelijke beleggingen', waaronder 'groene beleggingen' (€ 55.145,-). Voor geblokkeerde spaartegoeden in het kader van werknemersspaarregelingen geldt een vrijstelling van € 17.025,-.
Daarnaast is er een aparte vrijstelling voor zogenoemd 'durfkapitaal' (leningen voor startende ondernemers). Deze vrijstelling bedraagt € 55.145,-.

Schulden verminderen uw vermogen in box 3. Dit geldt niet voor de eigenwoningschuld (meestal in de vorm van een hypotheek). Deze laatste valt immers in 'box 1'. De eerste € 2.900,- per persoon aan schulden in box 3 verminderen het vermogen in box 3 niet. Belastingschulden kunnen ook niet in mindering worden gebracht.

Persoonsgebonden aftrek

Onder de persoonsgebonden aftrek vallen een aantal aftrekposten die niet in box 1, 2 of 3 vallen. De persoonsgebonden aftrek wordt verrekend met het inkomen van box 1. Mocht er in box 1 onvoldoende inkomen zijn, dan wordt de aftrek verrekend met het inkomen in box 3 en daarna box 2. Mochten ook box 3 en 2 onvoldoende inkomen bevatten, dan wordt het restant aan persoonsgebonden aftrek naar een volgend jaar doorgeschoven. Verrekening met oudere jaren is niet mogelijk.

Onder de persoonsgebonden aftrek kunnen meerdere zaken in aftrek worden gebracht zoals uitgaven voor onderhoudsverplichtingen (zoals alimentatie), uitgaven voor levensonderhoud van kinderen, onderhoudsuitgaven voor monumentenpanden en aftrekbare giften. In de meeste gevallen kunnen de uitgaven pas worden gedaan nadat een drempel is overschreden. Dit betekent dat u een deel van de uitgaven niet in aftrek kunt brengen.

8.2 De eigenwoningregeling

Fiscaal gezien krijgt u te maken met twee soorten aftrek- en bijtelposten:

- Eenmalig, namelijk alleen in het belastingjaar dat u een hypotheek afsluit.
- Terugkerend, deze posten komen jaarlijks terug op uw aangifte.

Daarnaast zijn er natuurlijk kosten die u helemaal nooit kunt aftrekken. Verder kunt u kiezen of u de aftrekbare rente maandelijks als voorschot terugkrijgt van de Belastingdienst (voorlopige teruggaaf) of pas bij de aanslag inkomstenbelasting.

Eigenwoningforfait

Als u een eigen woning (hoofdverblijf) hebt, moet u bij uw aangifte inkomstenbelasting het eigenwoningforfait opgeven. Dit houdt in dat een bepaald percentage van de woz-waarde van uw woning wordt opgeteld bij uw inkomen in box 1. U berekent aan de hand van de onderstaande tabel het eigenwoningforfait.

WOZ-waarde			Forfaitpercentage
€ 0,-	–	€ 12.500,-	geen
€ 12.500,-	–	€ 25.000,-	0,20%
€ 25.000,-	–	€ 50.000,-	0,30%
€ 50.000,-	–	€ 75.000,-	0,40%
€ 75.000,-		en meer	0,55%

Het maximale eigenwoningforfait is met ingang van 2009 afgeschaft.

Hypotheek (bijna) afgelost: geen eigenwoningforfait meer

Met ingang van 1 januari 2005 kunt u nooit meer te maken krijgen met een positief inkomen uit de eigen woning. Als u namelijk geen of een geringe eigenwoningschuld hebt, wordt het bedrag dat u aan eigenwoningforfait moet bijtellen hoger dan de betaalde rente die u in aftrek kunt brengen. Een positief inkomen uit de eigen woning is het gevolg.

Mocht dit zich voordoen, dan krijgt u een belastingkorting ter grootte van het positieve inkomen uit de woning. Per saldo hoeft u geen belasting meer te betalen over de woning als u geen of een geringe eigenwoningschuld hebt.

Voorbeeld: Geen bijtelling eigenwoningforfait meer

U hebt een woning met een woz-waarde van € 300.000,-. Uw eigenwoningschuld bedraagt € 20.000,-. De rente die u over uw eigenwoningschuld betaalt, is 6%. Dit komt neer op € 1.200,- bruto per jaar (6% x € 20.000,-). Het eigenwoningforfait bedraagt 0,55% x € 300.000,- = € 1.650,-. Per saldo hebt u een bijtelling ten aanzien van uw eigen woning van € 450,- (€ 1.650,- min € 1.200,-). Omdat u een bijtelling hebt ten aanzien van de eigen woning, krijgt u een aftrekpost ter grootte van de bijtelling (€ 450,- dus). Per saldo betaalt u over uw woning geen inkomstenbelasting meer.

Aftrekbare rente

Rente is alleen aftrekbaar van uw inkomen als de lening is afgesloten ten behoeve van de eigen woning (uw hoofdverblijf). In tijdsduur is de renteaftrek beperkt op twee manieren. Een derde aspect waardoor de renteaftrek beperkt wordt, is de bijleenregeling.

Dertig jaar renteaftrek

Na een periode van dertig jaar hebt u geen renteaftrek meer. Voor hypotheken die op 1 januari 2001 bestonden, ging deze periode in op 1 januari 2001. Verhuist u tussentijds naar een andere koopwoning, dan verhuist uw hypotheek in fiscaal opzicht als het ware mee. En daarmee de periode dat u al renteaftrek hebt genoten over uw oorspronkelijke hypotheekbedrag. Daarbij maakt het niet uit of u bij verhuizing een andere hypotheek afsluit bij een andere geldverstrekker. Als u uw hypotheek oversluit zonder te verhuizen, loopt de periode waarover u aftrek kunt krijgen gewoon door.

Voorbeeld: Verhuizen en renteaftrek

Stel, u hebt in 2001 uw eerste woning gekocht. U had daar een hypotheek voor nodig van € 200.000,-. Verhuist u na tien jaar (2011) naar een andere koopwoning waar u een hypotheek voor nodig hebt van € 300.000,-, dan hebt u over de oorspronkelijke € 200.000,- hypotheek nog twintig jaar renteaftrek. Voor het bijgeleende hypotheekbedrag van € 100.000,- hebt u nog dertig jaar renteaftrek. In dit voorbeeld zijn de bijleenregeling en een eventuele overwaarde in de woning buiten beschouwing gelaten.

Gedeeltelijk aflossen

Lost u tussentijds gedeeltelijk af op de lening, dan blijft de termijn van dertig jaar gewoon doorlopen voor het gehele oorspronkelijk geleende bedrag. De dertig jaarstermijn stopt pas op het moment dat de gehele lening is afgelost. Gedeeltelijke aflossingen worden dus buiten beschouwing gelaten. Neemt u uw gedeeltelijke aflossingen weer op om uw huis te (laten) verbouwen, dan start voor die bedragen opnieuw de 30 jaarstermijn (zie hierna: verbouwen en renteaftrek). Bij een verhuizing telt voor de dertig jaarstermijn het aantal jaren dat u aftrek hebt genoten over het oorspronkelijke leenbedrag.

Voorbeeld : Verbouwen en renteaftrek

Stel u hebt in 2001 een woning gekocht voor € 200.000,- en voor dat bedrag een hypotheek afgesloten. In 2004 lost u € 25.000,- af op uw hypotheek. Drie jaar later (2007) besluit u uw huis te verbouwen. U neemt hiervoor € 25.000,- op. Voor deze € 25.000,- gaat nu een nieuwe termijn voor hypotheekrenteaftrek gelden van 30 jaar.

Belastingvrije uitkering uit levensverzekering

De renteaftrek houdt op vóór het dertigste jaar, voorzover u een belastingvrije uitkering ontvangt uit een levensverzekering of bankspaarrekening die is gekoppeld aan de eigen woning (box 1). Voor het bedrag van de uitkering moet u immers uw eigenwoningschuld aflossen. Als de uitkering uit de kapitaalverzekering eigen woning lager is dan uw eigenwoningschuld, loopt voor de rest van de schuld de dertig jaarstermijn gewoon door.

Bijleenregeling

Een ander aspect dat de renteaftrek beperkt, is de bijleenregeling. Deze regeling houdt in het kort het volgende in: de overwaarde die vrijkomt bij verkoop van uw eigen woning dient u in te brengen in een volgende duurdere koopwoning. Doet u dit niet, dan krijgt u te maken met een beperking van de renteaftrek. Voor uitgebreide informatie over de bijleenregeling zie §8.4.

Fiscaal partnerschap

Samenwonenden worden op verzoek behandeld als fiscale partners. Voorwaarde is onder andere dat u beiden meerderjarig bent, dat u in het kalenderjaar gedurende minimaal zes maanden onafgebroken een gezamenlijke huishouding voert en op hetzelfde adres staat ingeschreven bij de gemeente. Bij de Belastingdienst moet u bij uw aangifte het verzoek indienen om fiscaal als partner te worden behandeld.

Gehuwden en geregistreerde partners zijn zonder verzoek al fiscale partners, voorzover zij niet duurzaam gescheiden leven. Met betrekking tot de aftrekpost 'eigen woning' mogen fiscale partners zelf bepalen wie welk deel van de aftrekpost opvoert. Eén van beiden alles of beiden een deel. Het eigenwoningforfait moet in dezelfde verhouding worden bijgeteld als de aftrekpost (eigenwoningrente).

Voor samenwoners die geen fiscaal partner zijn, is de renteaftrek gerelateerd aan de schuldverhouding. De bijtelling van het eigenwoningforfait is dan gerelateerd aan de eigendomsverhouding.

Wat is een kapitaalverzekering?

Een kapitaalverzekering is een bijzondere vorm van een levensverzekering. Een kapitaalverzekering keert uit bij overlijden of op de einddatum die op de polis staat, als de begunstigde nog in leven is. Hebt u alleen een overlijdensrisicoverzekering, dan keert de verzekeringsmaatschappij alleen uit in geval van overlijden. Beide verzekeringen worden aangeduid met de term levensverzekering.
Bij een aantal hypotheken (zoals een spaarhypotheek) wordt automatisch een kapitaalverzekering afgesloten. Via de kapitaalverzekering spaart u als het ware voor de aflossing van uw hypotheek (u bouwt kapitaal op in de verzekering). Op de einddatum van de verzekering keert deze uit aan de begunstigden die in de polis staan vermeld. Met de uitkering wordt meestal de hypotheek afgelost. Komt iemand voortijdig te overlijden en is hij opgenomen als verzekerde op de polis, dan keert de maatschappij uit aan de begunstigde. In §8.5 wordt uitgebreid ingegaan op kapitaalverzekeringen.

Voorlopige teruggaaf

Als u in loondienst werkt of freelancer bent, kunt u de aftrekbare rente maandelijks voorgeschoten krijgen van de Belastingdienst. Dit wordt de voorlopige teruggaaf genoemd. Na afloop van het belastingjaar wordt de eventueel te veel of te weinig betaalde belasting verrekend via uw aangifte inkomstenbelasting. Hebt u voor het eerst een hypotheek, dan kunt u op *www.belastingdienst.nl* bekijken of u in aanmerking komt voor een voorlopige teruggaaf. Had u het afgelopen jaar al een voorlopige teruggaaf, dan krijgt u deze automatisch weer. Wijzigingen moet u zelf doorgeven aan de Belastingdienst.

Eigen geld: apart houden of in de hypotheek stoppen?

Eigen geld waarover u beschikt, telt mee voor de vermogensbepaling in box 3. Voorzover uw eigen vermogen hoger is dan de vrijstelling (€ 20.661,- per belastingplichtige), betaalt u daarover jaarlijks 1,2% vermogensrendementsheffing. De eerste eigen woning, die als hoofdverblijf dient, en de eigenwoningschuld tellen daarin niet mee. De werkelijke inkomsten uit eigen vermogen (rente, dividend enzovoort) zijn onbelast. Omdat lenen voor andere uitgaven dan de eigen woning duur is, raden wij u aan voor deze uitgaven eigen geld apart te houden.

Hebt u eigen geld, dan lost u bij voorkeur leningen af waarvoor u geen renteaftrek hebt. Als u de overwaarde van uw huis bij verkoop vrij in handen krijgt en u verhuist naar een duurdere woning, dan verwacht de fiscus van u, in het kader van de bijleenregeling, dat u dit eigen geld weer gaat gebruiken voor de betaling van de nieuwe woning. Doet u dit niet en financiert u dit bedrag ook, dan hebt u over dat gedeelte van de lening geen renteaftrek. Zie ook §8.4 voor meer informatie over de bijleenregeling.

Bij uw beslissing of u eigen geld (dat u niet hebt verkregen uit de verkoop van uw woning) apart houdt of in uw eigen woning stopt, is ook het kostenaspect van belang. Als u uw eigen geld niet gebruikt voor de aanschaf van een huis, hebt u een hogere hypotheek nodig. Over dat extra stukje lening betaalt u ook extra rente. Deze rente is in principe gedurende maximaal 30 jaar aftrekbaar, aangezien u de lening aangaat in verband met de aanschaf van uw eigen woning. Steekt u uw eigen geld in het huis en moet u later geld lenen voor consumptieve uitgaven dan zijn de kosten aanzienlijk hoger dan wanneer u het geld buiten de hypotheek had gehouden en een hogere hypotheek was aangegaan. Dit komt onder andere omdat u de rente niet kunt aftrekken.

Geen of een geringe eigenwoningschuld

Hebt u geen of een kleine eigenwoningschuld, dan moet u ook dit aspect meenemen in uw overwegingen om bijvoorbeeld een verbouwing te betalen met eigen geld of juist te financieren. Indien u geen of een geringe eigenwoningschuld hebt, kan het zijn dat u geen inkomstenbelasting meer over uw eigen woning hoeft te betalen. Gaat u lenen voor een verbouwing, dan verliest u geheel of gedeeltelijk de extra aftrekpost die u kreeg omdat u geen of een geringe eigenwoningschuld had (zie ook pagina 138 ‘Hypotheek (bijna) afgelost: geen eigenwoningforfait meer’).

Voorbeeld: Eigen geld

U hebt een eigen woning met een woz-waarde van € 200.000,-. U hebt geen eigenwoningschuld. Op uw aangifte inkomstenbelasting geeft u een eigenwoningforfait op van € 1.100,- (0,55 x € 200.000,-). Daarnaast kunt u een aftrekpost opvoeren van € 1.100,-, zodat u geen inkomstenbelasting verschuldigd bent ten aanzien van de eigen woning. Stel dat u voor € 30.000,- wilt verbouwen aan uw woning. Dan komt de vraag op of u hiervoor uw eigen geld gaat inzetten of dat u dit bedrag gaat lenen.

U hebt geld op uw spaarrekening staan: hierover ontvangt u 3,5% rente. U kunt echter ook overwegen om uw verbouwing tegen 6% rente te financieren en de rente af te trekken op uw aangifte inkomstenbelasting.

Indien u dit bedrag financiert, hebt u geen aftrekpost meer ter grootte van de bijtelling ten aanzien van uw eigen woning, omdat u nu per saldo een aftrekpost hebt van €700,- (€ 1.100,- min € 1.800,- (6% x € 30.000,-)). Uw netto woonlast bedraagt, even uitgaande dat u 42% belasting betaalt in box 1, € 1.800,- min 42% x € 700,- = € 1506,-. Over uw spaargeld ontvangt

u € 1.050,- aan rente (3,5% x € 30.000,-). De ontvangen rente hoeft u niet aan te geven in box 3. In box 3 wordt een vermogensrendementsheffing geheven van per saldo 1,2%. Wij gaan er hierbij van uit dat uw spaarsaldo boven uw heffingvrije vermogen in box 3 uitkomt. U betaalt in box 3 € 360,- aan inkomstenbelasting (€ 30.000,- x 1,2%). Het netto rendement op uw spaarrekening bedraagt € 690,- (€ 1.050,- min € 360,-).
Per saldo betaalt u € 816,- (€ 1.506,- min € 690,-).

Had u uw eigen geld ingezet, dan had u in box 1 over de eigen woning geen inkomstenbelasting betaald (en had u ook geen aftrekpost ten aanzien van de betaalde rente). Uw box 3 vermogen zou gedaald zijn met € 30.000,-. U mist dan uw netto rente-inkomsten van € 690,-.

In dit voorbeeld kunt u dus beter uw eigen geld inzetten dan de verbouwing financieren met geleend geld. Zet u namelijk uw eigen geld in dan 'kost' u dit € 690,- aan netto rente-inkomsten. Leent u voor de verbouwing dan kost dit u per saldo € 816,-. In de praktijk speelt echter ook nog mee of u in de toekomst uw eigen geld wellicht liever wilt inzetten voor een consumptieve besteding waarvan u de rente, wanneer u een financiering hiervoor aangaat, niet kunt aftrekken.

Hoe werkt een bouwdepot?

Bij nieuwbouw wordt de benodigde hypotheek in een depot gestort. Hieruit worden de 'bouwtermijnen' van de bouw betaald. U betaalt van het begin af aan rente over de gehele hypotheek, maar u ontvangt (vaak dezelfde) rente over het saldo dat nog in het bouwdepot aanwezig is. De behandeling van de depotrente en hypotheekrente gedurende twee jaren na het tekenen van de koop-/aannemingsovereenkomst (dan wel de latere datum van passeren van de woning) bij een nieuwbouwwoning gaat als volgt: de rente op de lening die is aangegaan in verband met de aanschaf, verbetering en onderhoud van de eigen woning is aftrekbaar als eigenwoningrente in box 1. Op de aftrekbare rente komt in mindering de rente die wordt ontvangen op het depotsaldo.
Wanneer de twee jaren verstreken zijn of wanneer de bestemming van het geld niet meer de eerste eigen woning is, gaan het resterende depotsaldo en de lening die er tegenover staat naar box 3. De waarde van het depot valt weg tegen de hoogte van de schuld in box 3 over het depot. Op het moment dat u uit het depot geld opneemt ten behoeve van de woning, verschuift een gedeelte van de hypotheekschuld ter grootte van deze opname naar box 1, zodat de rente over dat gedeelte van de schuld weer aftrekbaar is.

Hoe werkt een verbouwingsdepot?

Ook als u uw huis gaat verbouwen, kunt u te maken krijgen met een depot waarin de benodigde hypotheek wordt gestort. Hieruit worden de bouwtermijnen van een verbouwing betaald. U betaalt van begin af aan rente over de gehele hypotheek, maar u ontvangt (vaak dezelfde) rente over het saldo dat nog in het depot aanwezig is. Om renteaftrek te kunnen claimen geldt altijd de voorwaarde dat u leent voor verbetering of onderhoud van de eigen woning.

U kunt de rente verschuldigd over het verbouwingsdepot maximaal twee jaar na verkrijging van het depot aftrekken in box 1 als eigenwoningrente. Hierop wordt de rente die u ontvangt op het depotsaldo wel in mindering gebracht. Zijn twee jaar verstreken of gebruikt u het geld niet meer voor de eerste eigen woning, dan verschuift zowel het resterende depotsaldo als de daar tegenoverstaande lening naar box 3. De waarde van het depot valt dan weg tegen de hoogte van de schuld over het depot in box 3. Neemt u weer geld op uit het depot voor uw woning, dan verschuift een gedeelte van de hypotheekschuld ter grootte van deze opname naar box 1.

Wel of niet aflossen?

Op *www.eigenhuis.nl* kunt u via de module 'wel of niet aflossen' uitrekenen of het voor u gunstig is uw aflossingsvrije hypotheek (gedeeltelijk) af te lossen met uw spaargeld.

Lenen voor of na de verbouwing

Maakt u geen gebruik van een verbouwingsdepot, maar financiert u een verbouwing van uw eigen woning (hoofdverblijf) met een lening, dan is de rente daarover maximaal dertig jaar aftrekbaar. Let op in verband met de bijleenregeling: hebt u een eigenwoningreserve dan is de rente (voor een deel) niet aftrekbaar. Verder kunt u de lening voor de verbouwing zowel voor- als achteraf regelen. Om renteaftrek te kunnen claimen, geldt ook hier dat de lening moet zijn aangegaan voor verbetering of onderhoud van de eigen woning.

Als u vooraf financiert, geldt bovendien het volgende. Bij een verbouwing is het vaak zo dat het geleende geld niet in één keer uitgegeven wordt. U kunt echter gedurende de eerste zes maanden na afsluiting van de lening de rente en kosten wel volledig aftrekken, onafhankelijk van het feit of er al dan niet betalingen voor de verbouwing zijn gedaan. Dit kan alleen als de lening is afgesloten met het oog op een verbouwing. Wel moet er een bedrag gelijk aan het leningbedrag in liquide vorm (bijvoorbeeld op een rekening) aanwezig zijn op het moment dat het geld van de lening aan andere zaken wordt besteed. Van betalingen die hebben plaatsgevonden ten behoeve van de verbouwing moet u de facturen en kassabonnen goed bewaren. Hiernaar kan gevraagd worden door de Belastingdienst. Of u de verbouwing uiteindelijk met het geleende geld of bijvoorbeeld uit uw spaargeld betaalt, is niet van belang. Duurt de verbouwing of het onderhoud langer dan zes maanden, dan wordt naar de werkelijke verbouwingssituatie gekeken. De lening wordt vanaf dat moment alleen als eigenwoninglening gezien als daaruit betalingen voor de verbouwing zijn gedaan.

Het kan ook gebeuren dat u pas tijdens of na de verbouwing een lening afsluit om de verbouwing te financieren. U schiet de verbouwing dan geheel of gedeeltelijk voor uit eigen middelen. Als u binnen zes maanden na aanvang van de verbouwing een lening aangaat, kunt u de rente over deze lening aftrekken op uw aangifte inkomstenbelasting. U kunt de rente alleen aftrekken over het leningdeel dat overeenkomt met de hoogte van de kosten van de verbouwing. U moet dit aan kunnen tonen aan de hand van facturen en kassabonnen.

Administratieve splitsing

Als de geldverstrekker de lening ongeacht uw bestedingsdoel administratief niet heeft gesplitst, kunt u niet aangeven op welk hypotheekdeel u eventueel aflost. Volgens de fiscale regels wordt de aflossing verhoudingsgewijs toegerekend aan zowel het aftrekbare als het niet aftrekbare deel. De fiscus heeft echter in een besluit van november 2006 aangegeven dat een aflossing op een gemengde lening kan worden toegerekend aan het box 3 deel (het consumptieve deel).

Consumptieve leningen opnemen in de hypotheek

Het afsluiten van een nieuwe hypotheek is ook een moment om eventuele andere consumptieve leningen onder de loep te nemen. Een mogelijkheid is dat u de schuld (van bijvoorbeeld een persoonlijke lening of een doorlopend krediet) overhevelt naar de hypotheek. U hoeft dan niet apart naar de notaris en uw woning wordt toch al getaxeerd. U profiteert dan van de aanmerkelijk lagere hypotheekrente. Let wel op de looptijd van de lening. De looptijd van een hypotheek is vaak langer dan die van andere kredietvormen. U betaalt dan langer rente en kunt daardoor uiteindelijk duurder uit zijn. U kunt dat voorkomen door voor dat deel van de hypotheek een kortere looptijd te kiezen of voor versneld op de hypotheek af te lossen. Op basis van een recent besluit van het ministerie van Financiën kunt u de aflossing toerekenen aan het consumptieve deel van de schuld.
Geld lenen voor andere doeleinden dan de eigen woning is vaak kostbaar. De schuld valt in box 3 en komt in mindering op uw bezittingen. De werkelijk betaalde rente is niet aftrekbaar, met andere woorden uw bruto rente is gelijk aan de netto betaalde rente. De schuld in box 3 vermindert wel uw box 3 grondslag als uw vermogen boven de vrijstelling in box 3 uitkomt.

Voor alle (hypothecaire) leningen die niet zijn aangegaan voor de eigen woning maar bijvoorbeeld voor de aanschaf van een boot of voor het doen van beleggingen, is geen aftrek mogelijk. Dit geldt voor de te betalen rente maar ook voor alle kosten die u moet maken om de lening rond te krijgen. Denk daarbij aan afsluitkosten -zoals notariskosten en bereidstellingsprovisie- en eventuele boetes. Voor consumptieve leningen die zijn afgesloten voor 1 januari 2001 geldt ook dat u geen renteaftrek hebt. Er is echter een uitzondering (zie kader).

Uitzondering leningen vóór 1 januari 1996

Een uitzondering geldt voor hypothecaire leningen die zijn aangegaan vóór 1 januari 1996. De Belastingdienst gaat er in principe van uit dat deze altijd zijn aangegaan in verband met de eigen woning. Daarbij geldt wel de voorwaarde dat u nog steeds dezelfde eigen woning hebt; en dat u sinds 1995 de rente over deze lening hebt aangegeven bij de eigen woning bij uw aangifte Inkomstenbelasting.

8.3 Welke kosten zijn fiscaal aftrekbaar?

In het kalenderjaar dat u de nieuwe hypotheek afsluit, hebt u extra aftrekposten. Welke kosten fiscaal aftrekbaar zijn en welke niet ziet u in het schema hierna. In de eerste kolom staan de kosten, in de tweede kolom staat of deze kosten aftrekbaar zijn op uw aangifte inkomstenbelasting en in de derde kolom is te lezen of u deze kosten met renteaftrek kunt meefinancieren.

Aftrekmogelijkheden voor kosten in verband met de eigen woning

Kosten	**Aftrekbaar?**	**Indien meegefinancierd in de (hypothecaire) lening: rente aftrekbaar?** *Ja: schuld valt in box 1* *Nee: schuld valt in box 3*
T.a.v. de woning:		
Koopsom (koop-/aanneemsom)	Nee	Ja
Overnamekosten roerende zaken	Nee	Nee
Overdrachtsbelasting	Nee	Ja
Verbouwingskosten	Nee	Ja
Periodieke betaling erfpacht	Ja	Nee
Afkoopsom erfpacht	Nee	Ja
Financieringsvergoeding aan bouwer	Nee	Ja
Bouwrente	Ja	Nee
Rente Overbruggingshypotheek	Ja	Nee
Uitstelrente	Ja	Nee
T.a.v. diensten:		
Notariskosten eigendomsakte	Nee	Ja
Notariskosten hypotheekakte*	Ja	Ja
Makelaarskosten	Nee	Ja

T.a.v. financiering:		
Taxatiekosten (i.v.m. financiering)*	Ja	Ja
Bereidstellingsprovisie*	Ja	Ja
Afsluitprovisie* 1)	Ja	Ja
Boeterente	Ja	Nee
Kosten aanvraag NHG*	Ja	Ja
Kosten bankgarantie	Nee	Nee
WAO-verzekering (premies of koopsom)	Ja	Nee

* Als u deze kosten meefinanciert in verband met het oversluiten van uw hypotheek, kunt u de rente over (dit deel) van de lening niet aftrekken. De schuld in verband met de meegefinancierde kosten valt dan in box 3.

1) Het maximale bedrag van de afsluitprovisie van € 3.630 geldt per belastingplichtige, voor zijn/haar aandeel in de eigenwoningschuld. Is de afsluitprovisie hoger dan het maximale bedrag of percentage, dan moet het overschot in gelijke delen worden toegerekend aan de resterende looptijd van de eigenwoningschuld.

Hebt u echter te maken met de bijleenregeling, dan kan het zijn dat niet alle financieringskosten aftrekbaar zijn. Zie hierna onder meegefinancierde kosten.

Meegefinancierde kosten

Bijkomende financieringskosten zoals afsluitprovisie, hypotheekaktekosten, taxatiekosten en eventueel boeterente zijn aftrekbaar op uw aangifte inkomstenbelasting. Voor afsluitprovisie geldt een maximum van 1,5% van de aangegane eigenwoningschuld met een maximum van € 3.630,-. Vaak worden dit soort kosten meegefinancierd in de hypotheek. De rente over dit leningdeel is alleen aftrekbaar indien deze kosten direct verband houden met de aankoop van de woning.
Financiert u dergelijke kosten mee in verband met het oversluiten van uw lening, dan is de rente over het leningdeel in verband met deze oversluitkosten (bijvoorbeeld, boeterente en afsluitprovisie) niet aftrekbaar. Overigens zijn deze oversluitkosten zelf wel aftrekbaar. Hebt u vóór 1 januari 2001 in verband met het oversluiten van uw hypotheek dergelijke kosten meegefinancierd, dan blijft renteaftrek over het leningdeel in verband met oversluiten bestaan.

Als u te maken hebt met de bijleenregeling dan behoren de meegefinancierde kosten van de geldlening niet tot de eigenwoningschuld. Renteaftrek over meegefinancierde kosten van geldlening is in die gevallen niet mogelijk. De meegefinancierde kosten die hier worden bedoeld zijn de volgende:

- taxatiekosten in verband met de financiering;
- afsluitprovisie;
- notariskosten (voorzover deze verband houden met schulden in verband met aankoop, onderhoud of verbetering van de eigen woning).

Er is dus een verschil in behandeling tussen de gevallen waarin de bijleenregeling wél wordt toegepast en gevallen waarin de bijleenregeling níet wordt toegepast (bijvoorbeeld bij starters). Starters kunnen de rente die wordt betaald over meegefinancierde kosten bij de eigen woning in aftrek brengen. Voor meer informatie over de bijleenregeling zie §8.4.

Overbruggingskrediet

Een overbruggingskrediet is nodig:

- als de overwaarde in uw oude huis nog niet is vrijgekomen omdat u de woning nog niet verkocht hebt;
- als u het bedrag van de overwaarde wel nodig hebt voor de koop van uw nieuwe huis.

Is dit het geval, dan hebt u namelijk tijdelijk zeer hoge lasten (voor meer informatie daarover zie §6.7). U kunt deze lasten enigszins beperken door de rente en kosten van het overbruggingskrediet mee te financieren in de nieuwe hypotheek of in het overbruggingskrediet zelf. U betaalt dan in feite rente over de rente en kosten van het overbruggingskrediet. U financiert de rente en kosten als het ware mee. Normaal gesproken is de rente over een overbruggingskrediet aftrekbaar. Maar als u deze rente niet zelf betaalt maar meefinanciert, is de rente over dat gedeelte van de lening niet aftrekbaar. De oorspronkelijk verschuldigde rente is uiteraard wel aftrekbaar. Het meegefinancierde deel van de lening valt in box 3. Dit wordt dan gezien als een schuld die in mindering kan komen op bezittingen in box 3.

Gekochte woning nog niet geschikt voor bewoning

Als u een woning koopt die nog niet geschikt is voor bewoning, in aanbouw is of nog verbouwd moet worden, blijft u meestal nog in uw oude woning wonen. In dat geval valt uiteraard de eigen woning waarin u woont onder de eigenwoning regeling.
Het eigenwoningforfait moet u dus op uw aangifte opgeven en de rente over de eigenwoninglening kunt u aftrekken op uw aangifte.
Maar ook de nieuwe woning valt onder bepaalde voorwaarden onder de eigenwoningregeling. Dat is het geval als u in het betreffende belastingjaar of in één van de daaropvolgende twee jaren in de woning gaat wonen. U hebt dan ook voor de nieuwe woning recht op renteaftrek. Als voorwaarde geldt altijd dat de lening is aangegaan ter verwerving, onderhoud of verbetering van de nieuwe eigen woning. Zolang de nieuwe woning nog niet uw hoofdverblijf is, hoeft u geen eigenwoningforfait bij te tellen.

Bouwrente

De bouwer van een nieuwbouwwoning brengt meestal ook rente in rekening. Deze rente wordt vaak aangeduid met de verzamelterm ‘bouwrente’. Niet alle rente die u aan de bouwer betaalt, is aftrekbaar. Hierna bespreken wij kort de verschillende soorten rente en de aftrekbaarheid daarvan.

Financieringsvergoeding

Over de termijnen die reeds zijn 'vervallen' (verschuldigd zijn) vóór het moment waarop u de koop-/aannemingsovereenkomst ondertekent, berekent de bouwer meestal een 'financieringsvergoeding'. De Belastingdienst beschouwt de financieringsvergoeding die is betaald tot aan de datum dat beide partijen de overeenkomst hebben getekend niet als rente, maar als onderdeel van de koop-/aanneemsom. Deze 'rente' is daarom niet aftrekbaar.

Uitstelrente

De bouwer verleent uitstel van betaling tot het moment waarop de eigendomsoverdracht plaatsvindt bij de notaris. Vanaf de datum van ondertekening door beide partijen van de koop-/aannemingsovereenkomst tot aan de eigendomsoverdracht berekent hij uitstelrente over alle bouwtermijnen die in die periode zijn vervallen. De betaalde uitstelrente (inclusief BTW) is aftrekbaar.

Grondrente

Bij grondrente is sprake van rente zowel voor als na het tekenen (door alle partijen) van de koop-/aannemingsovereenkomst. Deze typen grondrente worden fiscaal verschillend behandeld. Voor de rente die u moet betalen over de grond vóór het tekenen van de koop-/aannemingsovereenkomst geldt dat deze (inclusief BTW) niet aftrekbaar is, maar deel uitmaakt van de koopsom. De rente ná het tekenen van de koop-/aannemingsovereenkomst is aftrekbaar onder dezelfde post op de aangifte als uitstelrente.

Hypotheekrente tijdens de bouwperiode

Vanaf het moment dat u bij de notaris bent geweest in verband met de overdracht van de grond en het passeren van de hypotheekakte, betaalt u hypotheekrente aan uw geldverstrekker. Deze rente is aftrekbaar bij uw aangifte inkomstenbelasting.
Financiert u bovengenoemde renten mee, dan geldt ten aanzien van de aftrekbaarheid van de rente over het extra leningdeel het volgende. Heeft de lening betrekking op de financieringsvergoeding of grondrente voor het tekenen van de koop-/aannemingsovereenkomst, dan is de rente aftrekbaar. Financiert u de uitstelrente, grondrente (na het tekenen van de koop-/aannemingsovereenkomst) of hypotheekrente tijdens de bouwperiode mee, dan is de rente over dit extra leningdeel niet aftrekbaar.

Uw oude huis staat nog in de verkoop

Als u al in uw nieuwe woning woont en u hebt uw oude woning nog niet verkocht, kan toch op beide woningen de eigenwoningregeling van toepassing zijn. Voorwaarde is dat uw oude woning leeg te koop staat en volgens de Wet inkomstenbelasting 2001 een eigen woning was in het betreffende belastingjaar of in één van de twee daaraan voorafgaande jaren. Wordt aan deze eisen voldaan, dan is de eigenwoningregeling ook van toepassing op uw oude woning en kunt u de 'eigenwoningrente' aftrekken op uw aangifte Inkomstenbelasting. Het eigenwoningforfait voor de oude (te koop staande) woning wordt op nihil gesteld. U dient echter wel de WOZ-waarde van de woning op uw aangifte te vermelden.

84 De bijleenregeling

Hebt u een eigen huis en koopt u een ander huis dan krijgt u met de bijleenregeling te maken als u een nieuwe hypotheek afsluit. Sinds 1 januari 2004 is de bijleenregeling in de Wet inkomstenbelasting opgenomen. De bijleenregeling geldt voor u als u uw oude woning met winst verkoopt (overwaarde) en binnen vijf jaar een nieuwe woning koopt die duurder is, of waarvan de koopprijs hoger is dan de hoogte van de oude hypotheekschuld.
Volgens de bijleenregeling moet u de overwaarde van uw oude woning investeren in de volgende koopwoning. Doet u dat niet en financiert u uw nieuwe woning toch volledig, dan is de (hypotheek)rente niet aftrekbaar over het deel van de lening ter grootte van de overwaarde.

De bijleenregeling is relevant voor eigenwoningbezitters die de woning verkopen en binnen vijf jaar weer een andere woning kopen. De Belastingdienst verlangt van hen dat zij de overwaarde gebruiken voor de aankoop van de nieuwe woning. De fiscus dwingt dit als het ware af door te bepalen dat als de overwaarde niet wordt ingebracht en dus wordt geleend, de rente over dat gedeelte van de lening niet aftrekbaar is. De hoogte van de winst (de overwaarde) bij verkoop wordt volgens deze regeling verkregen door de verkoopprijs te verminderen met de eigenwoningschuld ten tijde van verkoop van de woning en de verkoopkosten. Bij verkoopkosten kunt u bijvoorbeeld denken aan de courtage die een makelaar voor de verkoop van de woning in rekening brengt.

De gevolgen van de bijleenregeling verschillen al naar gelang u naar een goedkopere of duurdere woning gaat verhuizen. Ook de verhuizing naar een (tijdelijke) huurwoning heeft specifieke gevolgen.

U verhuist naar een duurdere woning

Bij verkoop realiseert u de overwaarde in de bestaande woning. De overwaarde (=het Vervreemdingssaldo Eigen Woning) bestaat uit de verkoopprijs min de verkoopkosten min de eigenwoningschuld ten tijde van verkoop. De overwaarde wordt fictief gestald op een rekening genaamd de eigenwoningreserve. Na aankoop van een duurdere woning wordt u als gevolg van de bijleenregeling als het ware gedwongen de gehele overwaarde van de oude woning weer in te brengen in de nieuwe woning.
Houdt u een gedeelte van de overwaarde buiten de woning en financiert u dus dit bedrag, dan is de rente over dat gedeelte van de lening niet aftrekbaar.

U verhuist naar een goedkopere woning

Verhuist u naar een nieuwe goedkopere woning dan blijft aftrek mogelijk over minimaal het bedrag van de oude eigenwoningschuld. Uitzondering hierop is als de aankoopprijs van de nieuwe goedkopere woning lager is dan de oude hypotheekschuld. Dan geldt de aankoopprijs plus kosten koper van de nieuwe woning als grens.

De bij verkoop van de woning ontstane eigenwoningreserve wordt bij verhuizing naar een goedkopere woning niet of niet geheel verbruikt. Het resterende saldo van de eigenwoningreserve moet worden gebruikt als binnen vijf jaar een duurdere woning wordt gekocht of als er verbouwingen of verbeteringen worden uitgevoerd aan de woning.

Bij verhuizing naar een goedkopere woning mag de hoogte van de hypotheekschuld van de oude woning in aanmerking worden genomen als minimum voor de eigenwoningschuld. Om te voorkomen dat mensen kunstmatig hun hypotheekschuld ophogen, door voor korte tijd te verhuizen naar een duurdere woning, heeft de wetgever de volgende eis gesteld.
De eigenwoningschuld van de nieuwe woning mag alleen gelijk zijn aan de hypotheekschuld van de vorige woning als er sprake was van een reële eigen woning. Dit is het geval als de belastingplichtige gedurende meer dan zes maanden in de vorige woning heeft gewoond. Heeft de belastingplichtige minder dan zes maanden in de vorige woning gewoond (de duurdere woning), dan geldt de laatste reële eigen woning (waar iemand dus meer dan zes maanden in heeft gewoond) als vorige woning. De hoogte van de hypotheekschuld van die laatste reële eigen woning wordt dan in aanmerking genomen.

Rekenvoorbeeld 1: verhuizen naar een duurdere woning

Klaas koopt in 2004 zijn eerste woning voor € 100.000,- (woning 1). De kosten die direct verband houden met de aankoop van de woning bedragen € 9.000,-. Dit zijn de overdrachtsbelasting, notariskosten en makelaarscourtage. Klaas financiert de woning volledig met een aflossingsvrije hypotheek. In 2009 verhuist Klaas naar een andere woning (woning 2). Hij heeft deze woning gekocht voor € 200.000,-. De kosten m.b.t. de aankoop bedragen € 18.000,-. Klaas verkoopt gelijktijdig woning 1 voor € 150.000,-. De makelaarskosten i.v.m. de verkoop bedragen € 3.000,-.

Uitwerking
De rente over de schuld die Klaas is aangegaan voor de aankoop van woning 1 (€ 109.000,-) is volledig aftrekbaar. Hij koopt immers voor de eerste keer een woning.
In 2009 verkoopt hij woning 1 en koopt hij woning 2. De verwervingskosten van woning 2 bedragen € 218.000,- (€ 200.000,- + € 18.000,-). Door verkoop van woning 1 krijgt hij een eigenwoningreserve. Het Vervreemdingssaldo Eigen Woning van woning 1 bedraagt € 38.000,- (€ 150.000,- min € 3.000,- min € 109.000,-). Deze € 38.000,- vormt de eigenwoningreserve. Over dit bedrag kan geen aftrek worden gekregen als Klaas woning 2 volledig zou financieren. In feite wordt Klaas geacht dit bedrag als eigen geld in woning 2 in te brengen. Van de € 218.000,- (verwervingskosten woning 2) kan Klaas slechts de rente aftrekken over een bedrag van € 180.000,-. Dit bedrag wordt gezien als nieuwe eigenwoningschuld. Door de aankoop van de duurdere woning 2 wordt de eigenwoningreserve verminderd tot € 0,-. Ook als Klaas de € 38.000,- niet feitelijk in de woning zou stoppen, wordt de reserve verminderd. Klaas heeft dan een schuld van € 38.000,- in box 3 waarover de rente niet aftrekbaar is.

Rekenvoorbeeld 2: verhuizen naar een goedkopere woning

In 2004 koopt Betty een woning van € 250.000,-. De kosten koper bedragen € 25.000,-. Betty financiert de woning volledig. In 2014 verkoopt Betty woning 1 en gaat verhuizen naar een goedkopere woning van € 150.000,-. De kosten koper bedragen € 15.000,-. Woning 1 kan Betty verkopen voor € 300.000,-. Makelaarskosten in verband met de verkoop bedragen € 3.000,-. Betty heeft afgelost op haar hypotheek. Haar hypotheekschuld bedraagt op het moment van verkoop € 200.000,-.

Uitwerking

Het Vervreemdingssaldo Eigen Woning na verkoop van woning 1 bedraagt € 97.000,- (€ 300.000,- min € 3.000,- min € 200.000,-). De eigenwoningreserve van Betty bedraagt daardoor ook € 97.000,-. De verwervingskosten van woning 2 bedragen € 165.000,- (€ 150.000,- + € 15.000,-). Op grond van de aparte regeling in de wet voor goedkopere woningen kan zij toch maximaal aftrek claimen over het bedrag van haar oude hypotheekschuld (€ 200.000,-). Voor Betty geldt echter een ander maximum. Aangezien in dit voorbeeld de oude hypotheekschuld hoger is dan de aankoopprijs + kosten van de nieuwe woning kan maximaal een hypotheek van € 165.000,- met renteaftrek worden aangegaan. De eigenwoningreserve van € 97.000,- blijft staan want Betty hoeft immers geen overwaarde in te brengen. Wordt binnen vijf jaar een duurdere woning gekocht of vindt er onderhoud of verbeteringen aan de woning plaats (zie hierna), dan wordt de eigenwoningreserve aangesproken. Vijf jaar na verkoop van woning 1 zal (het restant van) de eigenwoningreserve volledig vervallen.

De eigenwoningreserve

De eigenwoningreserve die kan ontstaan bij verhuizing naar een goedkopere woning blijft maximaal vijf jaar staan. Na vijf jaar vervalt het bedrag. Men kan dan met een schone lei beginnen. De stand van de eigenwoningreserve kan via een beschikking afgegeven door de inspecteur worden vastgesteld. Dit kan op verzoek van de belastingplichtige of op eigen initiatief van de inspecteur gebeuren.

U verhuist naar een huurwoning

Wanneer u verhuist naar een huurwoning komt de overwaarde uit de verkochte woning vrij. Er wordt immers geen nieuwe eigen woning gekocht. De overwaarde (de eigenwoningreserve) wordt op verzoek door de Belastingdienst in een beschikking vastgesteld. Koopt u binnen vijf jaar toch weer een eigen woning, dan wordt bij de bepaling van de maximale eigenwoningschuld rekening gehouden met het bedrag van de eigenwoningreserve. De nieuwe woning kan dan niet met volledige renteaftrek worden gefinancierd. In feite wordt u geacht de overwaarde vijf jaar lang achter de hand te houden voor het geval u toch binnen die periode een eigen woning koopt.

U verbouwt of verbetert uw woning

De hoofdregel in de Wet inkomstenbelasting 2001 is dat verbouwingen en verbeteringen aan de eigen woning gefinancierd kunnen worden met renteaftrek. Dit ligt echter anders wanneer er nog een eigenwoningreserve is, bijvoorbeeld door verhuizen naar een goedkopere woning. Men wordt dan geacht dit bedrag aan eigenwoningreserve te gebruiken voor de verbouwing of verbetering. Het bedrag van de verbouwing of verbetering kan dan niet gefinancierd worden met renteaftrek. Heeft iemand geen eigenwoningreserve (meer), dan kunnen verbouwingen en verbeteringen wel worden gefinancierd met renteaftrek.

Bewaar de bonnen

Financiert u de verbouwing met een lening, bewaar dan alle bonnen. Alleen dan kunt u voor de fiscus aantonen dat u het geleende geld voor de eigen woning hebt gebruikt en stelt u uw toekomstige renteaftrek veilig.

Rekenvoorbeeld: verbouwing

Piet is in een goedkopere woning gaan wonen. Hij heeft nog een eigenwoningreserve van € 97.000,- overgehouden. Hij gaat de keuken en de badkamer twee jaar later (dus binnen vijf jaar) vervangen, totale kosten € 40.000,-. Hij wil deze kosten financieren door middel van een tweede hypotheek.

Uitwerking

Wanneer Piet deze kosten financiert, kan hij de rente over dat leningdeel niet aftrekken. Dit leningdeel valt namelijk in box 3. Aangezien Piet nog een eigenwoningreserve heeft van € 97.000,-, wordt hij geacht hiervan zijn keuken en badkamer te betalen. De eigenwoningreserve wordt verminderd met het bedrag van € 40.000,- en komt dus op € 57.000,- te staan. Niet van belang is of Piet werkelijk dit geld beschikbaar heeft voor de aankoop van zijn keuken en badkamer. Heeft hij dat geld niet meer voorhanden, dan is de consequentie daarvan dat hij dat bedrag moet lenen en dat hij daarover geen renteaftrek heeft. De eigenwoningreserve wordt sowieso verlaagd met € 40.000,-.

Verkoop met verlies

Wanneer iemand zijn woning (woning 1) verkoopt en een restschuld overhoudt, is er dus geen overwaarde en wordt op de eigenwoningreserve een negatief bedrag genoteerd. De volgende woning (woning 2) kan dus volledig worden gefinancierd met renteaftrek. Koopt iemand binnen vijf jaar een andere woning (woning 3) en heeft men overwaarde uit de verkochte woning (woning 2), dan wordt deze overwaarde verrekend met de negatieve eigenwoningreserve. De (gehele) overwaarde hoeft dan niet te worden ingebracht. Gebeurt dit echter buiten de vijfjaarstermijn, dan is verrekening niet meer mogelijk.

Aflossen op de eigenwoningschuld en de eigenwoningreserve

Over het algemeen geldt dat aflossingen op de eigenwoningschuld ervoor zorgen dat de voor de bijleenregeling relevante overwaarde toeneemt. De wetgever vindt het redelijk dat wanneer er een eigenwoningreserve is, de aflossingen deze verminderen. Anders zou bij een eventuele verhuizing de overwaarde in de te verkopen woning (die hoger is geworden door de aflossingen) en de stand van de eigenwoningreserve ingebracht moeten worden in de nieuwe woning. Gaat men nog meer aflossen dan de stand van de eigenwoningreserve, dan wordt de reserve daardoor niet negatief. Met andere woorden men kan door extra af te lossen geen negatieve reserve opbouwen.

Nieuwe woning gekocht en oude woning nog niet verkocht

Wanneer u een nieuwe woning hebt gekocht, maar u woont nog in de oude woning – bijvoorbeeld als uw nieuwbouwwoning nog niet is opgeleverd – dan kan de nieuwe woning volledig met renteaftrek worden gefinancierd. Op het moment dat er overwaarde uit de oude woning vrijkomt, wordt de eigenwoningschuld op de nieuwe woning bijgesteld.
Ook als u al wel in de nieuwe woning woont, maar de oude woning staat nog te koop, kunt u in eerste instantie de rente over de schuld op de nieuwe woning volledig aftrekken. Bij verkoop van de oude woning kan een eigenwoningreserve ontstaan. Dit bedrag zal bij verhuizing naar een duurdere woning de eigenwoningschuld op de nieuwe woning verminderen. Het gevolg is dat niet de gehele rente over de schuld op de nieuwe woning meer aftrekbaar is.

Als uw oude woning nog niet is verkocht op het moment dat u uw nieuwe woning koopt, wordt de overwaarde in de oude woning geschat. De werkelijke overwaarde is pas bekend op het moment dat u verkoopt; die kan dus afwijken van de geschatte overwaarde. In dat geval kunt u onbedoeld te maken krijgen met een 'gemengde' lening. Een deel van de eigenwoninglening ten behoeve van de nieuwe woning zal door de verkoop en het vrijkomen van de overwaarde geen eigenwoninglening meer zijn en verhuizen naar box 3.
Wilt u aflossen op een 'gemengde lening' dan wordt volgens de fiscale hoofdregel de aflossing pro rata aan zowel de eigen woning als het box 3-gedeelte van de lening toegerekend. De staatsecretaris van Financiën heeft echter goedgekeurd dat een aflossing op een gemengde lening die is ontstaan door de bijleenregeling geheel kan worden toegerekend aan het leningdeel in box 3. U kunt er dan voor zorgen dat de overwaarde die vrijkomt bij verkoop van uw oude woning geheel wordt ingebracht in de nieuwe woning. Op die manier wordt u niet 'extra' benadeeld door de bijleenregeling in uw mogelijkheden om de renteaftrek te claimen.

8 5 Kapitaalverzekeringen

Sluit u een spaarhypotheek, een spaarbeleggingshypotheek of een beleggingshypotheek dan krijgt u te maken met de fiscale regels voor een kapitaalverzekering.

Globaal geldt dat een kapitaalverzekering in box 1 een grotere belastingvrijstelling geniet. Maar u moet wel voldoen aan strengere regels. In box 3 gelden meer flexibele regels, maar daar betaalt u een prijs voor.

Box 1 algemeen

Wilt u aanspraak maken op de vrijstelling voor kapitaalverzekeringen in box 1 (in 2009: maximaal € 33.500,- en € 147.500,- per persoon na respectievelijk vijftien en twintig jaar premie betalen), dan moet u zich aan een aantal fiscale regels houden. Dit geldt zowel voor nieuw af te sluiten verzekeringen als voor lopende verzekeringen.

De regels die gelden voor uw kapitaalverzekering in box 1 luiden als volgt:

- In de polis of het aanhangsel moet een tekst met de volgende strekking staan: 'De begunstigde zal de verzekerde uitkering aanwenden ter aflossing van de eigenwoningschuld in de zin van de Wet inkomstenbelasting 2001 van de verzekeringnemer, van diens echtgenoot of van degene met wie de verzekeringnemer duurzaam een gezamenlijke huishouding voert.'
- De hoogste jaarpremie mag niet meer bedragen dan tien maal de laagste jaarpremie.
- U moet minimaal vijftien jaar achter elkaar premie betalen, tenzij u eerder overlijdt.
- De verzekering moet recht geven op een eenmalige uitkering bij in leven zijn of bij overlijden van u, uw echtgenoot of degene met wie u duurzaam een gezamenlijke huishouding voert.
- De verzekering moet zijn afgesloten bij een professionele verzekeraar.
- De maximale looptijd van de verzekering bedraagt dertig jaar.

Als niet aan de voorwaarden is voldaan, wordt de polis geacht tot uitkering te zijn gekomen (ook al besluit u de polis in stand te houden). De fiscus spreekt dan van een 'fictieve uitkering'.

Dat geldt bijvoorbeeld als u:

- tussentijds geld opneemt uit de verzekering (=gehele of gedeeltelijke afkoop);
- de polis vervreemdt (bijvoorbeeld verkoopt aan iemand anders), waarbij een uitzondering geldt in echtscheidingssituaties;
- de polis inbrengt in een onderneming;
- met de uitkering de eigenwoningschuld niet aflost;
- de polis na dertig jaar laat doorlopen.

In box 1 wordt het rentebestanddeel in de polis dan belast. Het tarief kan in box 1 oplopen tot 52%. Het rentebestanddeel komt overeen met de poliswaarde op dat moment verminderd met de tot dan toe betaalde premies. Er wordt geen rekening gehouden met enige vrijstelling. Vervolgens gaat de polis naar box 3 alwaar de poliswaarde jaarlijks tegen 1,2% wordt belast (onder bepaalde voorwaarden kunt u daarbij gebruikmaken van de algemene waardevrijstelling van box 3).

Kortom:
- U moet de uitkering uit de kapitaalverzekering gebruiken als aflossing op de eigenwoningschuld. Met andere woorden: andere bestedingsdoelen zijn niet toegestaan zonder fiscale consequenties.
- U mag tussentijds geen geld opnemen uit de kapitaalverzekering. Uw geld blijft tot aan het einde van de verzekeringsduur staan (meestal dertig jaar).
- U kunt nooit méér belastingvrij sparen of beleggen dan de hoogte van uw eigenwoningschuld op het moment van uitkeren.

Méér sparen of beleggen is vaak mogelijk bij een beleggingsverzekering. Is uw uitkering hoger dan uw eigenwoningschuld, dan betaalt u maximaal tot 52% over het rentebestanddeel in het meerdere. Dezelfde situatie kan ontstaan als u aflost op uw eigenwoningschuld. In de volgende paragraaf 'aflossingskapitaal hoger dan eigenwoningschuld' vindt u hierover meer informatie.
In box 3 gelden andere (minder strenge) eisen. Deze worden later in dit hoofdstuk besproken.

Let op

Uw geldverstrekker kan u wel een boete in rekening brengen als u meer aflost dan boetevrij is toegestaan.

Aflossingskapitaal hoger dan eigenwoningschuld

Als de rendementen voor de opbouw van het aflossingskapitaal in de levensverzekering zeer voorspoedig verlopen, kan er uiteindelijk een kapitaal ontstaan dat hoger is dan uw eigenwoningschuld. Dit kan vooral gebeuren bij beleggingshypotheken. Bij gunstige rendementen lijkt het aantrekkelijk om de polis niet te laten uitkeren zodra het leningbedrag bij elkaar is gespaard, maar om beide door te laten lopen (dit heet de 'doorloopconstructie'). Na dertig jaar wordt u hiervoor echter fiscaal gestraft. De polis komt dan fictief tot uitkering (omdat de kapitaalverzekering langer dan dertig jaar loopt) en wordt in box 1 belast zonder rekening te houden met een vrijstelling. En vervolgens wordt de polis jaarlijks in box 3 belast. Langer dan dertig jaar laten doorlopen raden wij daarom af.

Vóór het dertigste jaar kan het ook gebeuren dat uw aflossingskapitaal boven het leningbedrag uitkomt. Zeker wanneer u tussentijds aflost op uw eigenwoninglening kan het voorkomen dat de waarde in de polis voor het dertigste jaar even hoog of hoger is dan de daartegenover staande eigenwoningschuld.

Als uw polis op dat moment voldoet aan de fiscale regels kunt u ervoor kunnen kiezen om (een gedeelte van) uw hypotheek eerder af te lossen. Was u van plan om te verbouwen, dan kunt u overwegen om uw verbouwing te financieren met een aflossingvrije lening. Zo kunt u bovendien voorkomen dat de uitkering uit uw kapitaalverzekering hoger is dan uw totale eigenwoningschuld. Wij adviseren u in deze situaties contact op te nemen met uw adviseur om te laten berekenen wat u dan het beste kunt doen. Al met al is het niet meer mogelijk om in box 1 méér belastingvrij te sparen of te beleggen dan de omvang van uw totale eigenwoningschuld. Wilt u nadrukkelijk méér bij elkaar sparen of beleggen, dan biedt box 3 u meer mogelijkheden.

Wel of geen premiedepot

Voor een levensverzekering in box 1 geldt dat de hoogste premie per verzekeringsjaar niet meer mag bedragen dan tien maal de laagste. Om binnen deze fiscale grens maximaal premie te storten in de levensverzekering, wordt vaak bij het afsluiten van de hypotheek een bedrag aan eigen geld in een premiedepot gestort. Van daaruit regelt de verzekeraar automatisch de maximale premiestortingen. Het premiedepot wordt niet beschouwd als onderdeel van de hypotheek en valt daarom in box 3. Dat betekent dat zolang het premiedepot bestaat, u vermogensrendementsheffing (1,2%) betaalt over het daarin aanwezige saldo (voorzover de waarde van het premiedepot uitkomt boven de algemene vrijstelling in box 3).

Let op dat u voor het depot geen geld uit overwaarde gebruikt. Vanwege de bijleenregeling hebt u dan namelijk geen renteaftrek voor de lening die u in dat geval extra dient aan te gaan ter compensatie.

Box 3 algemeen

Het grote verschil met box 1 is dat u de uitkering uit een kapitaalverzekering in box 3 in principe vrij kunt besteden. De Belastingdienst eist niet dat u hiermee uw lening aflost. Uw geldverstrekker kan dit overigens wel eisen (via een zogenaamde verpandingclausule). Dit staat echter los van de fiscale eisen.
Ook kunt u via een polis in box 3 een vermogen opbouwen dat groter is dan de hypotheek. Alleen betaalt u jaarlijks 1,2% over het vermogen dat de algemene vrijstelling van € 20.661,- per persoon te boven gaat. Het bovenstaande geldt, indien u een kapitaalverzekering van op of na 15 september 1999 in box 3 plaatst. Voor 'oude' polissen is er echter een aparte vrijstelling. De voorwaarden waaraan uw polis dan moet voldoen, komen hierna aan de orde.

Overzicht 1: kapitaalverzekeringen (op of na 15 september 1999 afgesloten)

Hoe hoog is het belastingtarief?
- Box 1: afhankelijk van uw inkomen, oplopend tot 52%
- Box 3: 30% (de vermogensrendementsheffing bedraagt 30% van 4% = 1,2%)

Hoe vaak wordt er belasting geheven?
- Box 1: éénmalig, op het moment van (fictief) uitkeren. Of eerder, bijvoorbeeld bij voortijdige beeindiging (afkoop) of als de uitkering niet meer wordt gebruikt voor aflossing van de hypotheek.
- Box 3: jaarlijks

Waarover wordt belasting geheven?
- Box 1: over het rentebestanddeel in de uitkering (= uitkering min betaalde premies) voorzover de uitkering hoger is dan de vrijstelling of de hypotheekschuld. Houdt u zich niet aan de 'box-1-vereisten', dan wordt er geen rekening gehouden met een vrijstelling.
- Box 3: over de waarde in de polis; de waarde die u tot dan toe hebt opgebouwd, voorzover de waarde de algemene vrijstelling in box 3 overtreft (zie hierna).

Hoe hoog is de vrijstelling?
- Box 1: het vermogen in de kapitaalverzekering is vrijgesteld tot € 33.500,- als u minimaal vijftien jaar premie betaalt of € 147.500,- als u minimaal twintig jaar premie betaalt (alle bedragen per persoon). Deze bedragen worden jaarlijks geïndexeerd.
- Box 3: geen bijzondere vrijstelling naast de algemene waardevrijstelling; € 20.661,- per persoon.

Zijn er nog bijzonderheden?
- Box 1: de vrijstelling voor de kapitaalverzekering is beperkt, namelijk tot het hypotheekbedrag. Stel: u hebt een hypotheek van € 100.000,- en een kapitaalverzekering die uiteindelijk € 300.000,- moet uitkeren. De vrijstelling bedraagt dan € 100.000,-
- Box 3: nee

Overzicht 2: polissen afgesloten vóór 15 september 1999

Hoe hoog is het belastingtarief?
- Box 1: afhankelijk van uw inkomen, oplopend tot 52%
- Box 3: 30% (de vermogensrendementsheffing bedraagt 30% van 4% = 1,2%)

Hoe vaak wordt er belasting geheven?
- Box 1: éénmalig, op het moment van (fictief) uitkeren. Of eerder, bijvoorbeeld bij voortijdige beeindiging (afkoop) of als de uitkering niet meer wordt gebruikt als aflossing van de hypotheek.
- Box 3: jaarlijks

Waarover wordt belasting geheven?

- Box 1: over het rentebestanddeel in de uitkering (= uitkering min betaalde premies) voorzover de uitkering hoger is dan de vrijstelling of de hypotheekschuld. Houdt u zich niet aan de 'box-1-vereisten', dan wordt er geen rekening gehouden met een vrijstelling.
- Box 3: over de waarde in de polis: de waarde die u tot dan toe hebt opgebouwd, voorzover de waarde de algemene vrijstelling en de extra waardevrijstelling in box 3 overtreft (zie hierna).

Hoe hoog is de vrijstelling?

- Box 1: € 33.500,- na 15 jaar of € 147.500,- na 20 jaar premie betalen (per persoon). Voor polissen afgesloten vóór 1992: deze bedragen + de poliswaarde per 31 december 2000 (indien verzoek tot plaatsing in box 1 uiterlijk bij aangifte 2001 is gedaan). Bovendien geldt er voor de vrijstelling een maximum, te weten de eigenwoningschuld.
- Box 3: jaarlijkse extra waardevrijstelling; € 123.428,- + algemene vrijstelling voor alle vermogensbestanddelen tezamen ter grootte van € 20.661,- per persoon. Niet alleen de waarde is jaarlijks vrijgesteld, ook de uitkering is onbelast tot € 123.428,- (na twintig jaar premie betalen) of tot € 28.134,- (na 15 jaar premie betalen). Voor polissen van vóór 1992 is de uitkering onder voorwaarden zelfs onbeperkt belastingvrij.

Worden de vrijstellingsbedragen geïndexeerd?

- Box 1: ja
- Box 3: nee (de algemene vrijstelling overigens wel)

Zijn er nog bijzonderheden?

- Box 1: nee
- Box 3: ja. Houdt u zich niet aan de fiscale regels omtrent de minimale duur van premiebetaling en de maximale premieverhouding zoals die golden bij het afsluiten van uw kapitaalverzekering, wordt de uitkering uit de polis alsnog in box 1 belast. Daarnaast moet u de looptijd niet verlengen of het verzekerd bedrag verhogen. Hebt u een beleggingsverzekering, verhoog het totale premievolume dan niet. Anders vervalt de waardevrijstelling in box 3.

Overzicht 3: u hebt meerdere polissen

Tast een uitkering in de ene box uw vrijstelling in de andere box aan?

- Voor polissen afgesloten vóór 1992 en in box 3 geplaatst: nee. De vrijstellingen in box 1 en box 3 blijven behouden voor eventuele andere polissen.
- Voor polissen afgesloten vanaf 1992 maar vóór 15 september 1999 en in box 3 geplaatst: ja. De onbelaste uitkering tast de vrijstelling in box 1 aan. Bovendien vermindert de vrijgestelde uitkering de uitkeringsvrijstelling voor uw overige box 3 polissen (vrijstelling voor polissen met ingangsdatum van na 1 januari 1992). Tot slot beperkt de uitkering de waardevrijstelling voor polissen die zijn ondergebracht in box 3.
- Voor polissen in box 1 geplaatst: ja.
- Voor polissen in box 3 en ingegaan na 31 december 2000: nee.

Met deze inkortingen van de vrijstelling dient u rekening te houden, bijvoorbeeld als u de hypotheek later wilt verhogen voor een verbouwing of verhuizing en daarvoor een extra kapitaalverzekering wilt afsluiten.

Overzicht 4: polissen afgesloten op of na 1 januari 2001

Hoe hoog is het belastingtarief?
- Box 1: afhankelijk van uw inkomen, oplopend tot 52%
- Box 3: 30% (de vermogensrendementsheffing bedraagt 30% van 4% = 1,2%)

Hoe vaak wordt er belasting geheven?
- Box 1: éénmalig, op het moment van uitkeren. Of eerder, bijvoorbeeld bij voortijdige beëindiging (afkoop) of als de uitkering niet meer wordt gebruikt als aflossing van de hypotheek.
- Box 3: jaarlijks over de gemiddelde waarde van de polis in dat jaar.

Waarover wordt belasting geheven?
- Box 1: over het rentebestanddeel in de uitkering (= uitkering min betaalde premies) voorzover de uitkering hoger is dan de vrijstelling of de hypotheekschuld. Houdt u zich niet aan de 'box-1-vereisten', dan wordt er geen rekening gehouden met een vrijstelling.
- Box 3: over de waarde in de polis: de waarde die u tot dan toe hebt opgebouwd, voorzover de waarde de algemene vrijstelling in box 3 overtreft.

Hoe hoog is de vrijstelling?
- Box 1: € 33.500,- na vijftien jaar of € 147.500,- na twintig jaar premie betalen (per persoon) en maximaal de hoogte van de eigenwoningschuld op het moment van uitkeren.
- Box 3: de algemene vrijstelling (€ 20.661,-).

Zijn er nog bijzonderheden?
- Box 1: nee
- Box 3: nee

Polissen van vóór 15 september 1999

Hebt u een polis die is afgesloten vóór 15 september 1999 dan geldt er in box 3 een aparte, tijdelijke, waardevrijstelling van € 123.428,- per persoon. Deze vrijstelling vervalt per 14 september 2029. Voor dit soort polissen raden wij vaak box 3 aan. U moet nog steeds voldoen aan alle 'oude' fiscale regels – die golden ten tijde van het afsluiten – wil de uitkering belastingvrij zijn. Denk bijvoorbeeld aan de minimale duur van de premiebetaling en de maximale premieverhouding. Als u de looptijd verlengt of het verzekerd bedrag verhoogt, vervalt uw waardevrijstelling; tenzij verlengen of verhogen is toegestaan door een opgenomen index- of optieclausule. Hebt u een beleggingsverzekering, verhoog het premievolume dan niet.

De fiscus laat u wél vrij in wat u met de uitkering doet. U hoeft daarmee niet af te lossen, als uw geldverstrekker dat tenminste goedvindt. Voldoet u niet aan de genoemde fiscale regels, dan wordt het rentebestanddeel in de levensverzekering alsnog in box 1 belast.

Kapitaalverzekering en verhuizing

Hebt u op dit moment een eigen huis en hebt u voor een aflossing een kapitaalverzekering (spaarhypotheek) lopen, dan moet u ervoor zorgen dat uw kapitaalverzekering ook op de juiste manier meeverhuist. Had u de verzekering in box 1 geplaatst en verhuist u door naar een volgende koopwoning, dan is er niets aan de hand. Zolang u aan de voorwaarden van box 1 blijft voldoen, is de vermogensaanwas binnen de levensverzekering onbelast.

Verhuist u (tijdelijk) naar een huurwoning, dan is er wel wat aan de hand. Omdat u geen eigen huis (hoofdverblijf) meer hebt, voldoet de polis niet meer aan de vereisten van box 1. In de wet is een verhuisregeling opgenomen. Zodra u gaat huren, verhuist de polis van box 1 naar box 3, zonder dat u in box 1 eerst met de fiscus moet afrekenen. De polis komt in deze situatie fictief tot uitkering. Voor het rente-element dat op dat moment in de polis zit, kunt u gebruikmaken van de vrijstelling, zodat er geen belasting wordt geheven. In de huurperiode betaalt u jaarlijks 1,2% over de waarde van de polis, tenzij u voor deze polis recht hebt op de waardevrijstelling. Later kunt u de polis weer koppelen aan de eigen woning (box 1).

Als u binnen drie jaar weer een eigen huis bezit, kan de vrijstelling worden teruggedraaid. Na drie jaar kan is dat niet meer mogelijk. De aangegroeide rente die in de box 3 periode ontstaat, wordt op de einddatum van de polis niet meer opnieuw belast als de polis na 14 september 1999 is ingegaan. U hebt namelijk vermogensrendementsheffing betaald gedurende de periode dat de polis in box 3 zat.

Er is ook een verschil in renteaftrek wanneer u *niet* binnen drie jaar weer een eigen woning hebt. Dit hangt af van de datum waarop u uw polis hebt afgesloten. Is uw polis op of na 1 januari 2001 ingegaan en hebt u niet binnen drie jaar nadat u naar een huurwoning bent verhuisd weer een eigen woning, dan wordt uw vrijstelling niet teruggedraaid. Daarnaast vervalt ook de renteaftrek voor het gedeelte van de vrijstelling dat u hebt benut. Dit is niet het geval wanneer u een polis hebt die is ingegaan voor 1 januari 2001. Uw vrijstelling wordt dan ook niet teruggedraaid, maar dat heeft geen invloed op de renteaftrek. Afhankelijk van de ingangsdatum van uw lopende kapitaalverzekering, gelden andere regels.

Fiscaal geruisloos omzetten

Wanneer u uw hypotheek met kapitaalverzekering (bijvoorbeeld uw spaar- of beleggingshypotheek) oversluit naar een andere geldverstrekker, kunt u uw kapitaalverzekering zonder fiscale consequenties meenemen naar een andere verzekeraar. Volgens de fiscale regels hoeft u de kapitaalverzekering dan niet af te kopen en opnieuw te

beginnen. Er geldt echter wel een aantal regels waar u aan moet voldoen.
De rechten en verplichtingen door de eerste verzekeraar moeten rechtstreeks aan de tweede verzekeraar worden overgedragen. Dat betekent dat u de waarde van de polis niet tussentijds op uw rekening mag ontvangen; dit wordt namelijk gezien als afkoop met alle fiscale consequenties van dien. In beginsel wordt bij fiscaal geruisloos omzetten de polis ongewijzigd voortgezet bij de nieuwe verzekeraar, dus met dezelfde ingangsdatum, premieverhouding en eenzelfde hoogte van het verzekerd kapitaal. Wij raden u aan om bij oversluiten aan uw verzekeringsmaatschappij door te geven dat u de polis fiscaal geruisloos wilt omzetten en hiervan ook een bevestiging te vragen bij zowel uw oude als uw nieuwe verzekeringsmaatschappij.

Let op

In de praktijk blijkt dat niet alle geldverstrekkers/verzekeraars fiscaal geruisloos omzetten. Soms worden hiermee fouten gemaakt. Zorg ervoor dat uw verzekering niet wordt afgekocht en dat er geen bedrag op uw rekening wordt gestort. Controleer altijd of de verzekering onder dezelfde condities wordt voortgezet.

Uitkering uit een kapitaalverzekering

Als u een uitkering uit een kapitaalverzekering krijgt, is die vrijgesteld van belasting; mits u aan de fiscale voorwaarden van de kapitaalverzekering voldoet. Afhankelijk van het fiscale regime waaronder uw kapitaalverzekering valt, hebt u verschillende vrijstellingen. Krijgt u een belastingvrije uitkering uit een kapitaalverzekering dan vermindert dit niet alleen de vrijstelling die specifiek geldt voor die verzekering, maar kan dit ook van invloed zijn op de vrijstelling die geldt voor andere kapitaalverzekeringen. In overzicht 3 leest u hoe een en ander op elkaar inwerkt.

Uitkering uit een overlijdensrisicoverzekering

Aan een aantal hypotheekvormen (de levenhypotheek en de spaar- en/of beleggingshypotheek) is een overlijdensrisicoverzekering (ORV) verbonden. Is er bij een overlijden sprake van een uitkering uit een ORV, dan is de partner vaak de begunstigde van de verzekering. Hij krijgt de uitkering niet op basis van het erfrecht maar via de verzekering. De uitkering uit een ORV hoort dus niet tot de nalatenschap van de overledene. Toch wordt de uitkering in principe belast met successierechten. De uitkering wordt namelijk fictief gezien als erfrechtelijke verkrijging. Dit moet u dus aangeven bij de aangifte successierechten.

Overlijdensrisicoverzekering en successierechten

Als de begunstigde van de verzekering de premie betaalt kunt u voorkomen dat die later successierechten moet betalen. Dit is mogelijk wanneer de ene partner de verzekerde is en de andere de begunstigde. De uitkering wordt namelijk niet belast als voor de ver-

zekering niets is onttrokken aan het vermogen van de overledene. Met andere woorden: als de overledene de premie niet heeft betaald. Let op: dit kan alleen als er sprake was van gescheiden vermogens. Gehuwden 'in gemeenschap van goederen' hebben geen gescheiden vermogens. Zij kunnen dus ook niet voorkomen dat de een mogelijk successierechten moet betalen over een overlijdensuitkering die hij of zij ontvangt na het overlijden van zijn/haar partner.
Als samenwonenden of gehuwden 'op huwelijkse voorwaarden' kruislings premie hebben betaald of 'premiesplitsing' (zie kaders) hebben toegepast, zijn er meestal geen successierechten verschuldigd over de uitkering, mits aan alle voorwaarden is voldaan (zie het kader 'premiesplitsing').

Premiesplitsing

Bij premiesplitsing is sprake van één polis en hoeven de premies alleen op papier gescheiden te zijn. Dit moet blijken uit de polis of een bij de polis horend clausuleblad. Bij polissen afgesloten na 1 juli 2000 moet dit ook blijken uit een door beide partners ondertekend en gedagtekend aanvraagformulier. In de polis of het clausuleblad moeten de premies staan die over en weer zijn verschuldigd. Dat zijn de premies exclusief kosten en winstopslag. Wie de premie feitelijk heeft betaald, is niet van belang. Wel moeten de huwelijkse voorwaarden of de voorwaarden van het samenlevingscontract de constructie ondersteunen. Hiermee wordt bedoeld dat de premie door de huwelijks- of samenlevingsvoorwaarden niet toch nog ten laste mag komen van het gemeenschappelijk vermogen.

Kruislings premie betalen

Bij kruislings premie betalen is er sprake van twee polissen. Er wordt over en weer een overlijdensrisicoverzekering gesloten waarbij de ene partner de premie is verschuldigd op het leven van de andere.

(Echt)scheiding

Bij echtscheiding is het verstandig het huis 'te verdelen'. Dat wil zeggen: verkoop het huis of koop de ander uit. Dat is niet alleen praktisch omdat de woning later geen punt van discussie kan zijn, maar ook omdat alleen de eigenaar/bewoner van de eigen woning renteaftrek heeft. Als het huis geheel of gedeeltelijk op naam blijft staan van de vertrekkende partner, dan gaat de renteaftrek geheel of gedeeltelijk verloren. Er is een overgangsregeling voor de eigenaar/niet bewoner. Deze heeft gedurende maximaal twee jaar nog renteaftrek vanaf het moment van scheiden, dat wil zeggen: vanaf het moment dat één van de partners de woning verlaat. Deze regeling is niet alleen van toepassing voor gehuwden en geregistreerde partners, maar ook voor samenwonenden die voor fiscaal partnerschap gekozen hebben. Meer informatie hierover vindt u in onze webpublicaties *Uit elkaar en een eigen huis* (leden € 3,95 / normale prijs € 5,50) en de *Belastingwijzer eigen huis* (leden € 4,95 / normale prijs € 6,50). Ga naar *www.eigenhuis.nl/webpublicaties* voor meer informatie of om de uitgaven te downloaden.

De bijleenregeling en echtscheiding

Wordt bij echtscheiding de woning verkocht, dan ontstaat er net zoals bij 'gewone' verkoop een eigenwoningreserve. De vraag is echter hoe deze wordt verdeeld tussen de partners. De overwaarde wordt bij scheiding verdeeld volgens de eigendomssituatie. Bent u bijvoorbeeld in gemeenschap van goederen gehuwd, dan wordt de overwaarde 50/50 aan u beiden toegerekend. Deze overwaarde wordt u geacht in te brengen in uw volgende duurdere woning. Om te beoordelen of u een duurdere woning koopt dan de voormalige echtelijke woning wordt gekeken naar de waarde van uw eigendomsdeel in die woning.

Voorbeeld echtscheiding en renteaftrek

Een echtpaar is in gemeenschap van goederen getrouwd en gaat scheiden. De woning wordt toebedeeld aan de vrouw. De waarde van de woning is € 300.000,-. De eigenwoningschuld op de woning is € 200.000,-.
De vrouw koopt de man uit voor € 50.000,- De man koopt een nieuwe woning voor € 180.000,- (incl. kosten koper). Deze woning is goedkoper dan de woning waar hij met zijn voormalige vrouw in woonde. Toch stelt de bijleenregeling dat gekeken moet worden naar het individuele aandeel in de woning en de schuld. Aangezien hij voor 50% eigenaar was van de woning, wat een waarde van € 150.000,- vertegenwoordigd, gaat hij eigenlijk duurder wonen en wordt hij geacht de overwaarde in te brengen in zijn nieuwe woning. De overwaarde die hem kan worden toegerekend, bedraagt € 50.000,- (€ 300.000,- min € 200.000,- : 2). Zijn maximale eigenwoningschuld op de nieuwe woning bedraagt daardoor € 180.000,- min € 50.000,- is € 130.000. Zou hij zijn nieuwe woning toch volledig financieren, met andere woorden een lening aangaan van € 180.000,-, dan zou € 50.000,- in box 3 vallen en zou renteaftrek over dit bedrag niet mogelijk zijn.

8.6 Banksparen

Met ingang van 2008 is er een alternatief voor de kapitaalverzekering eigen woning: de bankspaarhypotheek. Er zijn twee vormen: Spaarrekening Eigen Woning (SEW) en Beleggingsrecht Eigen Woning (BEW) zijn. Deze producten worden fiscaal nagenoeg gelijk behandeld als de kapitaalverzekering eigen woning. Voor een uitgebreide uitleg van deze hypotheekvorm zie §2.7.

De voorwaarden voor een SEW en BEW zijn:

- u moet een eigen woning hebben en een eigenwoningschuld;
- de spaarrekening of het beleggingsrecht is geblokkeerd en mag alleen worden gedeblokkeerd als hiermee de eigenwoningschuld wordt afgelost;
- er moet minimaal 15 jaar of tot overlijden van de rekeninghouder of eigenaar van het beleggingsrecht bedragen zijn overgemaakt op de rekening of naar de beheerder;
- het hoogste bedrag dat in een jaar wordt overgemaakt op de rekening mag niet meer bedragen dan tien maal het laagste bedrag;
- de behaalde rente of het behaalde rendement blijft binnen de spaarrekening of het beleggingsrecht;
- de spaarrekening is ondergebracht bij een onderneming die op grond van de Wet op het financieel toezicht een bankbedrijf mag uitoefenen. Voor een beleggingsrekening geldt dat deze moet zijn ondergebracht bij een beleggingsinstelling.

Op het moment dat u de spaarrekening of het beleggingsrecht gebruikt om de eigenwoningschuld af te lossen wordt bekeken of aan de voorwaarden is voldaan. Is dat het geval, dan is de uitkering vrijgesteld tot € 33.500,-. Indien u gedurende een periode van minimaal 20 jaar een bedrag hebt ingelegd en ook aan de overige vereisten voldoet, dan geldt een vrijstelling van € 147.500,-. De vrijstelling is daarnaast nooit hoger dan het bedrag aan eigenwoningschuld dat u aflost. Ontvangt u meer dan de vrijstelling, dan is over het rentebestanddeel in het gedeelte boven de vrijstelling inkomstenbelasting verschuldigd tegen het box 1 tarief. De vrijstellingen worden jaarlijks geïndexeerd.

Voldoet u niet meer aan de voorwaarden voor de SEW of BEW, dan wordt deze geacht te zijn gedeblokkeerd. Op dat moment moet u over het rentebestanddeel in de spaarrekening of het beleggingsrecht inkomstenbelasting in box 1 betalen. De hiervoor genoemde vrijstellingen zijn dan niet van toepassing.

Indien u zou komen te overlijden wordt het tegoed op de spaarrekening of het beleggingstegoed gedeblokkeerd. Uw partner kan echter ook besluiten de spaarrekening of het beleggingstegoed voort te zetten. Hij /zij kan dan het nog aanwezige vrijstellingsbedrag van u bij de eigen vrijstelling voegen. Voor deze voortzetting moet uw partner wel voldoen aan alle overige vereisten; hij of zijn moet bijvoorbeeld een eigen woning en een eigenwoningschuld hebben. Kiest u in dat geval voor deblokkering, dan is de overdracht van (het resterende deel van) de vrijstelling niet mogelijk.

Aan een SEW of BEW is geen overlijdensrisicodekking gekoppeld. Bij overlijden valt het tegoed op de rekening in de nalatenschap van de overledene. Voorzover het tegoed boven de vrijstellingen in het successierecht uitgaat, zijn de erfgenamen successierecht verschuldigd. Bij een kapitaalverzekering eigen woning kan deze heffing worden voorkomen door de juiste premiesplitsing. Zie de kadertekst op pagina 163 voor meer informatie over premiesplitsing.
Hoewel er dus geen deblokkering hoeft plaats te vinden omdat de rekening kan worden voortgezet, valt de waarde van de spaarrekening of het beleggingstegoed op het

moment van overlijden bij de erfgenamen in de nalatenschap. Het kan dus gebeuren bij grote bedragen dat deze (deels) belast worden met successierecht. Er gelden echter hoge vrijstellingen voor partners (€ 532.570,- in 2009) en in zo'n geval wordt ook de (helft van de) hypotheekschuld weer van de erfenis afgetrokken.

Het is mogelijk om naast de spaarrekening of het beleggingstegoed een losse overlijdensrisicoverzekering af te sluiten. Tijdens de looptijd valt deze verzekering in box 3 en vertegenwoordigt geen waarde. De uitkering kan net zoals bij een kapitaalverzekering al dan niet belast zijn met successierecht. Dat hangt ervan af of er sprake is van premiesplitsing. De waarde van de spaarrekening of het beleggingstegoed zelf valt echter in de nalatenschap.

8 7 Samenvatting

Als woningbezitter krijgt u te maken met de fiscus. Zo hebt u eenmalige en jaarlijkse aftrek- en bijtelposten. Andere momenten waarop u met de Belastingdienst te maken krijgt zijn:

- bij een verbouwing (verbouwdepot);
- bij een verhuizing (bijleenregeling);
- bij het afsluiten van een hypotheek met een kapitaalverzekering.

Bijlagen

Telefoonnummers, internetsites en productaanbod per geldverstrekker

Geldverstrekkers	Telefoon	Internet www.	Spaarhypotheek	Spaarbeleggingshypotheek	Bankspaarhypotheek	Hypotheek met beleggen via levensverzekering	Hypotheek met beleggen zonder levensverzekering	Aflossingsvrije hypotheek	Krediethypotheek	Annuïteitenhypotheek	Linieare hypotheek	Traditionele levenhypotheek	Hypotheek met uitgeklede voorwaarden (budget-, voordeel, profijthypotheek, renteopties enz.)
ABN AMRO	0900-0024	abnamro.nl/wonen	x	x	x	x	x	x		x	x	x	x
Aegon	(058) 244 33 00	aegon.nl	x	x		x	x	x	x	x			
Allianz	(030) 281 42 42	allianz.nl	x	x	x	x	x	x	x	x	x		x
Argenta[1]	intermediair	argenta.nl	x			x	x	x		x		x	x
ASR verzekeringen	(030) 257 91 11	fortisasr.nl	x	x		x	x	x		x	x	x	x
Avéro Achmea	(073) 646 80 00	averoachmea.nl	x	x		x	x	x		x	x	x	x
Bank of Scotland	0800-888 88 22	bankofscotland.nl	x			x	x	x		x	x	x	x
BLG Hypotheken	(046) 478 85 88	blg.nl	x			x	x	x		x		x	
Centraal Beheer Achmea	(055) 579 81 00	centraalbeheer.nl	x			x		x		x			x
DBV	(030) 693 31 66	dbv.nl	x					x		x		x	
Delta Lloyd	(020) 594 50 50	deltalloyd.nl/ hypotheken	x	x	x	x	x	x		x	x	x	x
Direktbank	(020) 597 07 07	direktbank.nl	x	x		x	x	x	x	x	x	x	x
DSB Bank NV	0900-575	dsbbank.nl	x			x		x	x	x		x	

Erasmus	(010) 280 83 75	erasmus.nl	x			x		x		x	x	x	x
EuropeLife	(030) 880 02 88	europelife.nl	x					x		x			
FBTO[2]	(033) 450 76 80	eigenhuis.nl	x					x					
Florius	0900-1828	florius.nl	x	x	x	x	x	x	x	x		x	x
Fortis Bank	0900-8174	fortisbank.nl	x	x	x	x	x	x	x	x	x	x	x
Friesland Bank	(058) 299 55 99	frieslandbank.nl			x	x		x	x	x	x		
Hypotrust	(010) 242 10 00	hypotrust.nl		x		x	x	x		x	x	x	x
ING	0900-1900	ing.nl	x	x		x	x	x	x	x	x	x	x
MoneYou	0800-666 39 93	moneyou.nl	x		x		x	x		x			
Nationale-Nederlanden	(010) 513 03 03	nn.nl	x		x	x	x	x	x[3]	x	x	x	x
Obvion	intermediair	obvion.nl	x			x	x	x		x	x	x	x
Rabobank	0900-0907	rabobank.nl	x	x	x	x	x	x	x	x	x	x	x
Reaal Verzekeringen	(072) 519 41 94	reaal.nl	x			x	x	x		x	x		x
SNS Bank	0900-1840	snsbank.nl	x		x	x	x	x	x	x	x	x	x
SNS Regio Bank	intermediair of 0800-0411	snsregiobank.nl	x		x	x	x	x		x	x	x	x
SPF Beheer	(030) 232 92 00	spfbeheer.nl						x		x	x		
Syntrus Achmea Vastgoed	(020) 606 58 58	syntrusachmea vastgoed.nl	x			x		x		x	x	x	x
Westland/Utrecht	(020) 560 49 11	westlandutrecht.nl	x[4]		x	x	x	x	x	x	x	x	x
Woonfonds Hypotheken	(073) 646 80 00	woonfonds.nl	x	x		x	x	x		x	x	x	x
Zwitserleven	(020) 347 88 25	zwitserleven.nl	x		x	x	x	x	x	x		x	x

1) Argenta: Classic Hypotheek alleen mogelijk voor bestaande cliënten met een Argenta Classic Hypotheek. Nieuwe cliënten kunnen alleen een Light Hypotheek afsluiten.

2) FBTO: alleen verstrekt via Eigen Huis Hypotheekservice.

3) Nationale-Nederlanden: krediethypotheek alleen mogelijk in combinatie met een andere hypotheekvorm.

4) Westland/Utrecht: keuze uit de gewone spaarhypotheek en de SpaarXtra Hypotheek waarbij er geen koppeling is tussen de rentevaste periode van de hypotheek en de rentevaste periode van de polis.

B

Adressenlijst

Autoriteit Financiële Markten (AFM)
Vijzelgracht 50, 1017 HS Amsterdam
Postbus 11723, 1001 GS Amsterdam
T 0900-540 05 40 (€ 0,05 p/m)
F (020) 797 38 00
E info@afm.nl
I *www.afm.nl*

Belastingdienst
T 0800-0543 (gratis)
I *www.belastingdienst.nl*

Bureau Krediet Registratie (BKR)
Dodewaardlaan 1, 4006 EA Tiel
Postbus 6080, 4000 HB Tiel
T 0900-257 84 35 (€ 0,15 p/m)
F (0344) 63 49 73
I *www.bkr.nl*

Consumentenbond
Enthovenplein 1, 2521 DA Den Haag
Postbus 1000, 2500 BA Den Haag
T (070) 445 45 45
F (070) 445 45 96
I *www.consumentenbond.nl*

Contactorgaan Hypothecaire Financiers (onderdeel NVB)
Singel 236, 1016 AB Amsterdam
Postbus 3543, 1001 AH Amsterdam
T (020) 550 28 88
F (020) 623 97 48
I *www.nvb.nl*

Dutch Securities Institute (DSI)
Postbus 3861, 1001 AR Amsterdam
T (020) 620 12 74
F (020) 620 13 26
E info@dsi.nl
I *www.dsi.nl*

Federatie Financieel Planners (FFP)
Postbus 12, 3740 AA Baarn
T (035) 542 75 07
F (035) 542 76 07
E info@ffp.nl
I *www.ffp.nl*

Garantie Instituut Woningbouw (GIW)
Kruisplein 25, 3014 DB Rotterdam
Postbus 1857, 3000 BW Rotterdam
T (010) 433 22 44
F (010) 433 25 72
E giw@giw.nl
I *www.giw.nl*

Geschillencommissie
Bordewijklaan 46, 2591 XR Den Haag
Postbus 90600, 2509 LP Den Haag
T (070) 310 53 10
F (070) 365 88 14
I *www.sgc.nl*

Kadaster
Postbus 9046, 7300 GH Apeldoorn
T (088) 183 22 00
F (088) 183 20 50
I *www.kadaster.nl*

Klachtinstituut Financiële Dienstverlening (KIFID)
Postbus 93257, 2509 AG Den Haag
T 0900-355 22 48 (€ 0,10 p/m)
E consumenten@kifid.nl
I *www.kifid.nl*

Koninklijke Notariële Beroepsorganisatie
Spui 184, 2511 BW Den Haag
Postbus 16020, 2500 BA Den Haag
T (070) 330 71 11
F (070) 360 28 61
I *www.notaris.nl*
Notaris informatielijn (ook voor klachten): 0900-346 93 93 (€ 0,25 p/m, ma-vr van 9.00-14.00 uur)

Koopsomtelefoon
0900-202 02 01 (€ 0,60 p/m)
(geeft de laatste verkoopprijs van bestaande huizen, mits ná 1993 verkocht)

Koopsubsidie
(SenterNovem is verantwoordelijk voor de uitvoering van Koopsubsidie)
T (070) 373 59 15 (ma-vr van 9.00-12.00 uur)
E koopsubsidie@senternovem.nl
I *www.koopsubsidie.nl*

Landelijke Makelaars Vereniging (LMV)
De Schans 19-41, 8231 KA Lelystad
T (0182) 38 00 96
F (0182) 38 76 43
E info@lmv.nl
I *www.lmv.nl*

Ministerie van Financiën
Postbus 20201, 2500 EE Den Haag
T (070) 342 80 00
F (070) 342 79 00
I *www.minfin.nl*

Ministerie van Sociale Zaken en Werkgelegenheid
Postbus 90801, 2509 LV Den Haag
T (070) 333 44 44
F (070) 333 40 33
I *www.szw.nl*

Ministerie van Volkshuisvesting, Ruimtelijke Ordening en Milieubeheer (VROM)
Rijnstraat 8, 2515 XP Den Haag
Postbus 20951, 2500 EZ Den Haag
T (070) 339 39 39
I *www.vrom.nl*

Nationaal Instituut voor Budgetvoorlichting (NIBUD)
Postbus 19250, 3501 DG Utrecht
T (030) 239 13 50
F (030) 239 13 99
I *www.nibud.nl*

Nationale Hypotheek Garantie (NHG)
Postbus 309, 2700 AH Zoetermeer
T 0900-112 23 93 (€ 0,35 p/m)
E info@nhg.nl
I *www.nhg.nl*
Zie ook: Stichting Waarborgfonds Eigen Woningen

Nationale Ombudsman
Bezuidenhoutseweg 151, 2594 AG Den Haag
Postbus 93122, 2509 AC Den Haag
T 0800-335 55 55 (gratis) informatie- en bestellijn voor folders
I *www.ombudsman.nl*

Nederlandse Orde van Administratie- en Belastingdeskundigen
Rompertdreef 7, 5233 ED 's-Hertogenbosch
Postbus 2478, 5202 CL 's-Hertogenbosch
T (073) 614 14 19
F (073) 614 01 89
E noab@noab.nl
I *www.noab.nl*

Nederlandse Vereniging van Makelaars in o.g. en vastgoeddeskundigen (NVM)
Fakkelstede 1, 3431 HZ Nieuwegein
Postbus 2222, 3430 DC Nieuwegein
T (030) 608 51 85
F (030) 603 40 03
E info@nvm.nl
I *www.nvm.nl*

Nederlandse vereniging van assurantieadviseurs en financiële dienstverleners (NVA)
Stadsring 201, 3817 BA Amersfoort
Postbus 235, 3800 AE Amersfoort
T (033) 464 34 64
F (033) 462 20 75
E info@nva.nl
I *www.nva.nl*

Nederlandse Vereniging van Banken
Singel 236, 1016 AB Amsterdam
Postbus 3543, 1001 AH Amsterdam
T (020) 550 28 88
F (020) 623 97 48
I *www.nvb.nl*

Nederlandse Vereniging van Rechtskundige Adviseurs
Postbus 8141, 3009 AC Rotterdam
T (010) 420 31 63
F (010) 209 63 90
E secretariaat@nvra.nl
I *www.nvra.nl*

Nederlands Instituut voor het Bank-, Verzekerings- en Effectenbedrijf (NIBE-SVV)
Herengracht 205, 1016 BE Amsterdam
Postbus 2285, 1000 CG Amsterdam
T (020) 520 85 20
F (020) 622 94 46
E info@nibesvv.nl
I *www.nibesvv.nl*

Postbus 51 Informatielijn
Postbus 20006, 2500 EA Den Haag
T 0800-8051
I *www.postbus51.nl*

SenterNovem:
SenterNovem Den Haag
Juliana van Stolberglaan 3,
2595 CA Den Haag
Postbus 93144, 2509 AC Den Haag
T (070) 373 50 00
F (070) 373 51 00
SenterNovem Sittard
Swentiboldstraat 21, 6137 AE Sittard
Postbus 17, 6130 AA Sittard
T (046) 420 22 02
F (046) 452 82 60
SenterNovem Utrecht
Catharijnesingel 59, 3511 GG Utrecht
Postbus 8242, 3503 RE Utrecht
T (030) 239 34 93
F (030) 231 64 91
SenterNovem Zwolle
Dokter van Deenweg 108, 8025 BK Zwolle
Postbus 10073, 8000 GB Zwolle
T (038) 455 35 53
F (038) 454 02 25
Algemene site: *www.senternovem.nl*

Stichting Erkenningsregeling Hypotheekadviseurs
Postbus 1321, 1000 BH Amsterdam
T (020) 428 95 73
F (020) 428 95 74
E bureau@seh.nl
I *www.erkendhypotheekadviseur.nl*

Stichting keurmerk Financiële Dienstverlening (voorheen: Stichting Keurmerk Hypotheek Bemiddeling)
Kadelaan 6, 2725 BL Zoetermeer
Postbus 106, 2700 AC Zoetermeer
T (079) 320 34 60
F (079) 320 34 64
E info@kfdkeurmerk.nl
I *www.kfdkeurmerk.nl*

Stichting Stimuleringsfonds Volkshuisvesting Nederlandse gemeenten (SVn)
Postbus 15, 3870 DA Hoevelaken
T (033) 253 94 01
F (033) 253 94 24
E info@svn.nl
I *www.svn.nl*

Stichting Waarborgfonds Eigen Woningen
Postbus 309, 2700 AH Zoetermeer
T (079) 368 28 00
F (079) 361 07 83
E info@nhg.nl
I *www.nhg.nl*

Verbond van Verzekeraars
Bordewijklaan 2, 2591 XR Den Haag
Postbus 93450, 2509 AL Den Haag
T (070) 333 85 00
F (070) 333 85 10
I *www.verzekeraars.nl*

Vereniging Bemiddeling Onroerend Goed (VBO)
Braillelaan 6, 2289 CM Rijswijk
Postbus 5203, 2280 HE Rijswijk
T (070) 345 87 03
F (070) 310 65 11
E vbo@vbo.nl
I www.vbo.nl

Vereniging Nederlandse Gemeenten (VNG)
Nassaulaan 12, 2514 JS Den Haag
Postbus 30435, 2500 GK Den Haag
T (070) 373 83 93
F (070) 363 56 82
I *www.vng.nl*

Vereniging van onafhankelijke financiële en assurantieadviseurs NBVA
Postbus 6152, 4000 HD Tiel
T (0344) 62 02 00
F (0344) 61 79 28
E info@nbva.nl
I *www.nbvanet.nl*

Vereniging van Registervastgoed Taxateurs (RVT)
Postbus 86, 6400 AB Heerlen
T (045) 571 51 63
F (045) 571 53 70
E info@rvt.nl
I *www.rvt.nl*

Welder (voorheen Breed Platform Verzekerden en Werk)
Rijswijkstraat 175-8, 1062 EV Amsterdam
Postbus 69007, 1060 CA Amsterdam
T (020) 480 03 33
F (020) 480 03 34
E info@weldergroep.nl
I *www.weldergroep.nl* of *www.vraagwelder.nl*
Advieslijn VraagWelder 0900-480 03 00 (€ 0,30 p/m)

C Register

Vereniging Eigen Huis houdt ook u scherp!

De vele uitgaven van Vereniging Eigen Huis bieden u onafhankelijke informatie over alles wat met uw eigen woning te maken. Op die manier staat u als lid stevig in uw schoenen.

UITGAVEN

Als aanvulling op de Wegwijzer hypotheekvoorwaarden:

Bestaand huis kopen
Een mooi huis kopen, bezichtigen, onderhandelen over de prijs, het contract... Een huis kopen is een heel proces. Het boek *Bestaand huis kopen* begeleidt u daarbij.

Nieuwbouwhuis kopen
Toch geen bestaand huis, maar liever een nieuwbouwwoning? Dan helpt *Nieuwbouwhuis kopen* u door alle fases van de bouw, van tekentafel tot oplevering.

Appartement en VvE
Hebt u een appartement gekocht? Houdt de Vereniging van Eigenaren scherp en bekijk of alles goed functioneert in uw appartementencomplex.

Eigen huis en onderhoud
Hoe houdt u uw huis in perfecte staat? Uitleg over onderhoud met aandacht voor de gehele woning, van kozijnen en gevels tot daken en schilderwerk.

Andere uitgaven van Vereniging Eigen Huis

Uitgaven:

- Verstandig verbouwen
- Een nieuwe keuken
- Zolder verbouwen
- Huis en overwaarde
- Huis verkopen
- Eigen huis bouwen

Elektronische uitgaven:

- Tweede woning in Nederland
- Samenwonen of trouwen
- Uit elkaar en een eigen huis
- Belastingwijzer eigen huis
- Bewust schenken en nalaten
- WOZ in beeld
- Voorbereiding badkamer verbouwen

Kijk voor meer informatie op *www.eigenhuis.nl/winkel*

Bestelinfo

- De actuele prijzen van uitgaven vindt u op *www.eigenhuis.nl/boeken* of in Eigen Huis Magazine. U kunt ook tijdens kantooruren bellen met (033) 450 77 50.
- De verzendkosten zijn € 2,30 per verzending (dus niet per uitgave).
- U kunt 24 uur per dag bestellen via *www.eigenhuis.nl/boeken* of bel (033) 450 77 50.
  Houd, als u lid bent, uw lidmaatschapsnummer bij de hand.
- Binnen enkele werkdagen krijgt u de bestelling met acceptgiro thuisgestuurd.

Persoonsgegevens
Vereniging Eigen Huis legt persoonsgegevens, zoals naam, adres en telefoonnummer van haar leden vast. Dit voor de uitvoering van de overeenkomst. Uw persoonsgegevens kunnen worden gebruikt om u te informeren over relevante diensten en producten van Vereniging Eigen Huis en zorgvuldig geselecteerde derden. De verwerking van deze gegevens is aangemeld bij het College Bescherming Persoonsgegevens te Den Haag. Als u geen prijs stelt op het toezenden van informatie of gegevens wilt laten corrigeren, dan kunt u schrijven naar Vereniging Eigen Huis, afdeling Ledenservice, o.v.v. WBP, Postbus 735, 3800 AS Amersfoort.
Meer informatie over de registratie van uw persoonsgegevens: *www.eigenhuis.nl*